PASSAGENS

Português do Brasil para Estrangeiros

Dados Internacionais de Catalogação na Publicação (CIP)

Celli, Rosine

Passagens - Português do Brasil para Estrangeiros / Rosine Celli. -- Campinas, SP : Pontes, 2002.

ISBN 85-7113-164-3

1. Português - Estudo e ensino - Estudantes estrangeiros
I. Rosine Celli. II. Título

CDD - 469.824

Índices para catálogo sistemático:

1. Português: Livros - texto para estrangeiros - 469.824
2. Português para estrangeiros - 469.824

Rosine Celli

PASSAGENS

Português do Brasil para Estrangeiros

Um curso pré-intermediário

Pontes

2002

Gerência Editorial: Ernesto Guimarães
Projeto Gráfico: Cláudio Roberto Martini
Capa: Eckel Wayne
Editoração Eletrônica: Eckel Wayne
Fabiano Rodrigues Pinheiro
Marcelo Dobelin
Ilustrações: Estúdio Rabiscos
Marquinhos
Revisão Técnica: Raquel Beatriz Junqueira Guimarães
Revisão: Equipe de revisores da Pontes Editores

Agradecemos à IMSI pela autorização para publicarmos suas ilustrações do programa MasterClips.

PONTES EDITORES LTDA.
R. Maria Monteiro, 1635
13025-152 - Campinas - SP - Brasil
Fone: (19) 3252-6011
Fax: (19) 3253-0769
E-mail: ponteseditor@lexxa.com.br

www.ponteseditores.com.br

2002
Impresso no Brasil

Agradecimentos

Aos meus pais, Eva e Nani,
pela educação e liberdade
que sempre me deram.

À amiga Célia Maria Arns de Miranda,
pelo incentivo e colaboração.

A todos os meus alunos, pois,
foi através do contato diário,
observando suas necessidades de comunicação,
que este sonho nasceu.

À Pontes Editores,
que acreditou no meu trabalho
e realizou este sonho.

ÍNDICE

ÍNDICE

ÍNDICE

ÍNDICE

ÍNDICE

APRESENTAÇÃO

Este livro é composto de um volume, elaborado para ser concluído em aproximadamente 60/70 horas.

Trata-se de um trabalho destinado a adolescentes e adultos. É dividido em pequenas unidades, e contém atividades distintas, a saber: Leitura, Conversação, Diálogos, Textos, Curiosidades, Pronúncia, Gramática e Revisão. Essas atividades são desenvolvidas a partir de situações diversas tais como convidar uma pessoa para dançar, alugar uma casa, preparar um jantar entre amigos, organizar uma viagem. A utilização de situações como essas tem o objetivo de dar ao aluno condições de desenvolver habilidades de comunicação (ler - falar - ouvir e escrever), fazendo uso de expressões idiomáticas, gírias, verbos preposicionados e locuções.

Através do tratamento dado ao uso de expressões idiomáticas e gírias espera-se uma inserção rápida do falante do português nos aspectos mais sutis da cultura brasileira. Isso não impede, entretanto, que os aspectos gramaticais sejam apresentados de forma a garantir a elegância e a correção da linguagem.

A Gramática deve ser apresentada de forma simples e gradativa, não como um "fim", segundo afirma Domingos Paschoal Cegalla, na *Novíssima Gramática da Língua Portuguesa*, "senão como um meio posto a nosso alcance para disciplinar a linguagem e atingir a forma ideal de expressão oral e escrita. Temerário seria quem pusesse em dúvida a utilidade do estudo da disciplina gramatical. Maldizer da Gramática seria tão desarrazoado quanto malsinar os compêndios de boas maneiras só porque preceituam as normas de polidez que todo civilizado deve acatar".

Os temas apresentados são atuais e abrangentes, usando-se de forma intensiva os tempos verbais no modo indicativo, proporcionando ao aluno a possibilidade, logo de início, de compor diálogos necessários às situações do cotidiano.

Dá-se ênfase, nesta obra, ao uso do pretérito perfeito e do pretérito imperfeito do indicativo. Através dos temas escolhidos, o aluno terá condições, na prática, de assimilar as diferenças. Não se faz necessário relatar em pormenores a necessidade da repetição para a aprendizagem. Como exemplo, cito o diálogo da Unidade 87 "Fui à joalheria".

Vale ressaltar a importância do comentário feito por Franciscus van de Wiel, constante no livro *Português para Estrangeiros Interface com o Espanhol* organizado por José Carlos P. de Almeida Filho, sobre o uso dos pretéritos perfeito e imperfeito: "As formas verbais do Português para o falante estrangeiro já são, de per si, problemáticas: são tempos e modos variados de verbos regulares e de muitos verbos irregulares, sem falar das flexões de pessoa, de número, além da concordância - regras gerais e os múltiplos casos especiais. Todavia, forma é forma e, de alguma maneira, terá de ser adquirida pelo falante, de maneira mais natural, através de sua vivência no meio social... se a forma é problemática, imagine-se só o seu uso, De qualquer modo, sem a primeira, não há possibilidade alguma de se produzir linguagem verbal em que se possa aferir a adequação do uso desses tempos verbais". Por causa da preocupação com essa complexidade do uso das formas verbais optou-se por apresentar as formas do subjuntivo só depois de apresentadas as formas do indicativo e do imperativo. Assim como no caso desses últimos modos verbais, as formas do subjuntivo são apresentadas gradualmente para garantir que o falante da língua tenha plenas condições de se expressar com desenvoltura nas mais diversas situações.

O imperativo é usado, na maioria das vezes, na terceira pessoa do singular. O professor deverá insistir nesse item, uma vez que, ao estudar o presente do subjuntivo, o aluno mesmo terá condições de fazer as associações e terá mais tempo para se dedicar ao seu uso, dadas às diversidades de situações que o presente do subjuntivo exige. Tempos verbais compostos e outros recursos fundamentais para a comunicação são apresentados nos apêndices.

A Revisão é outro ponto forte da obra. Visa oferecer ao aluno exercícios de forma mais tradicional, atuando como complementação para uma maior compreensão da estrutura da língua. Com noções de Gramática, os exercícios são apresentados com novo vocabulário e novas situações, forçando, desta maneira, consultas ao dicionário, aliás necessárias também em outras atividades.

Essas revisões sempre se remetem às lições já estudadas no conjunto do livro, não necessariamente àquelas que estão imediatamente antes delas. Isso contribui para que o aluno esteja sempre revendo o que já viu, mesmo que já tenha estudado determinada lição há mais tempo.

O método é dinâmico. As atividades em classe deverão ser mais de ouvir e falar, deixando as atividades escritas, na sua maioria, para serem feitas em casa. O professor exercerá mais o papel de orientador, dando ao aluno espaço para atuar, mostrando seus pontos de vista, concordando, discordando, argumentando e questionando.

No todo, a obra tem como principal meta fazer com que o aluno, por mais tímido que seja, sinta-se motivado a participar das atividades. Quando se der conta, constatará que aprendeu não somente uma nova língua, mas hábitos e cultura de um outro país, através de troca de informações em atividades de classe com seus colegas.

Aprender um novo idioma é, sem sombra de dúvida, uma das mais enriquecedoras experiências de vida.

Rosine Celli

INFORMAÇÃO

O português no mundo

O português é uma das línguas oficiais da Comunidade Européia desde 1986, data em que Portugal torna-se membro da instituição. Em 1994, é criada a Comunidade dos Países de Língua Portuguesa, que reúne Angola, Cabo Verde, Guiné-Bissau, Moçambique, São Tomé e Príncipe, Portugal e Brasil.

Fonte: Enciclopédia Almanaque Abril/1995, pág. 675.

CONVERSAÇÃO — No ponto de ônibus

Mário está na fila de um ponto de ônibus. De repente, ele olha para o chão e vê uma nota de R$ 50,00. Então, pergunta para uma moça que está ao seu lado:

Mário: *Olhe! Por acaso, esse dinheiro não é seu?*

Moça: *Oh! É sim, obrigada. Ele caiu de minha carteira quanto peguei as moedas para pagar a passagem de ônibus.*

Mário percebe, então, que a moça não é brasileira devido ao seu leve sotaque e pergunta:

Mário: *De onde você é?*

Moça: *Sou da Inglaterra e estou no Brasil há dois meses.*

Mário: *Só dois meses! Mas você já fala tão bem!*

Moça: *Obrigada. Antes de viajar eu estudei português em Londres.*

Mário: *Que bacana!*

DISCUSSÃO

Que dificuldades alguém pode encontrar se viajar para um país sem conhecer o idioma?

____

____

Na sua opinião, que línguas um turista deve saber?

____

____

E uma pessoa de negócios?

____

____

Complete:

Italianos ***falam*** *italiano,*

ingleses ________ *inglês,*

japoneses ________ *japonês,*

alemães ________ *alemão,*

espanhóis ________ *espanhol e*

franceses ________ *francês.*

PEDRO TIRA ANA PARA DANÇAR

Pedro: *Você sempre vem a este restaurante dançante?*
Ana: *Raramente. E você?*
Pedro: *Umas três vezes por mês.*
Ana: *Para falar a verdade, prefiro ouvir música a dançar. Não tenho muito ritmo.*
Pedro: *Ora, não diga isso. Você dança muito bem.*
Ana: *Obrigada. É muita gentileza sua ter me tirado para dançar.*

Responda:

Como um rapaz deve convidar uma moça para dançar? ______________________

Como se deve elogiar alguém que:

a. dança muito bem ______________ *b. veste-se muito bem* ______________

FALANDO DE VOCÊ:

a. Eu sempre danço ______________________

c. Gosto muito de instrumentos de percussão, mas não dispenso os ______________________

Atividades

1. Pergunte ao seu colega:

a. Se ele toca algum instrumento musical.

b. Há quanto tempo ele estuda música.

2. Qual dos instrumentos abaixo é instrumento de corda?

Bateria

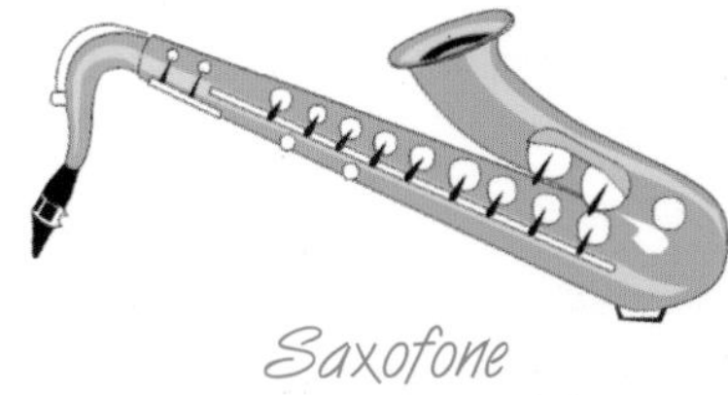
Saxofone

Guitarra

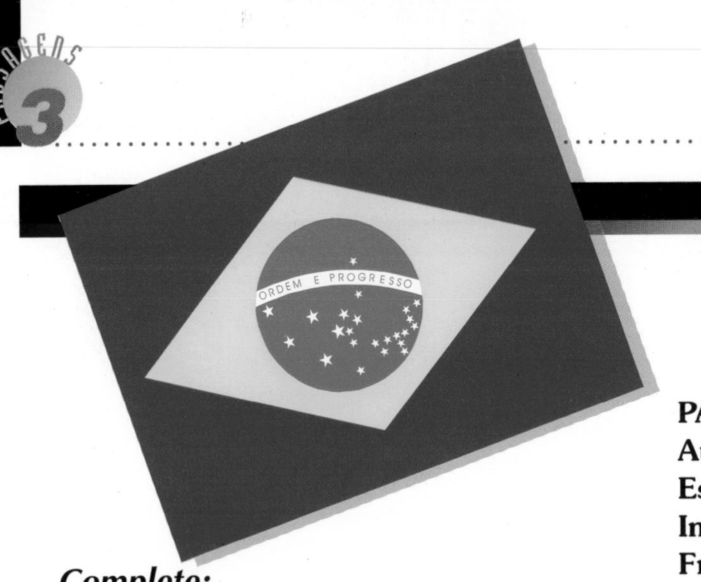

QUAL É A COR?

PAÍS: BRASIL

Complete:

O nome de meu país é ______________.

Eu sou ______________________________.
Desenhe a bandeira de seu país.
O que as cores representam?

PAÍSES	ADJETIVOS PÁTRIOS
Austrália	australiano
Estados Unidos	americano
Inglaterra	inglês
França	francês
México	mexicano
Japão	japonês
Argentina	argentino
Itália	italiano
Uruguai	uruguaio
Chile	chileno
Brasil	brasileiro

CORES

rosa, amarelo, preto
vermelho, verde, branco
laranja, azul, marrom

Gravatas

A gravata é o acessório mais importante do guarda-roupa masculino, há pelo menos dois séculos. Sem o arremate de uma gravata adequada para a ocasião, dificilmente um homem consegue se sentir pronto para uma festa ou para um compromisso profissional.

Vestir uma gravata é muito diferente de colocar uma. E o perfeito caimento desse acessório depende da habilidade do usuário para fazer o laço. Não um laço qualquer. Mal dado, ele vira um nó difícil de desatar.

Fonte: Revista Principal, agosto/1995.

Quatro passos para dar um nó bem feito

Atividades

Os alunos devem trazer gravatas para explicar os passos das ilustrações acima, e alguns devem perguntar a cor de cada uma ao grupo.

REVISÃO

Quais são as cores do semáforo?

____

Semáforo: Em algumas cidades do Brasil, fala-se também *sinal* ou *sinaleiro*.

– Olhe! Aquele motorista furou o sinal!
– Que absurdo. É um louco.
– Completamente louco e irresponsável.

MULTAS

FAZENDO COMPARAÇÕES

Em seu país, de quanto é a multa para quem:

a) fura o sinal ____________________

c) estaciona em local proibido

____

d) não respeita os limites de velocidade

____

O que mais é possível furar?

( ) meias
( ) filas de banco
( ) pneus
( ) bolas
( ) lâmpadas
( ) CDs
( ) artigos de porcelana
( ) solas de sapatos

Situação

Você está numa fila na estação rodoviária. Chega alguém e *fura* a fila. Você:

a) reclama
b) não fala nada
c) não fala nada, mas faz cara feia

Ouça:

– Você acredita em Luís?
– Não! Ele tem papo furado.

Ter papo furado quer dizer que a pessoa é:

a) confiável
b) não é confiável

Atividade

Fazer comentários sobre outras infrações de trânsito.

Em que circunstâncias um caminhão de bombeiros pode furar o sinal ?

____

O que você faz quando ouve a sirene de uma ambulância?

____

PRONÚNCIA

al, el, il, ol, ul

alfabeto
Brasil
capital
anel
bolso
cristal
salsicha
carrossel
desculpa
almofada
tumulto

gua, guo, guão

água
enxaguar
guaraná
égua
guarda
régua
saguão

a régua

a égua

ge, gi

geladeira
gelatina
girar
mágico
religião
ginástica
regime
geral
general

EU PRECISO DE DINHEIRO

CONTAS E MAIS CONTAS...

Maria: *Eu **preciso de dinheiro**.*
José: *Para quê?*
Maria: *Preciso pagar a conta do telefone.*
José: *Eu também **preciso pagar** algumas contas.*
Maria: *Quais?*
José: *A conta do telefone, o seguro do carro e o cartão de crédito.*

NÃO ESQUEÇA!

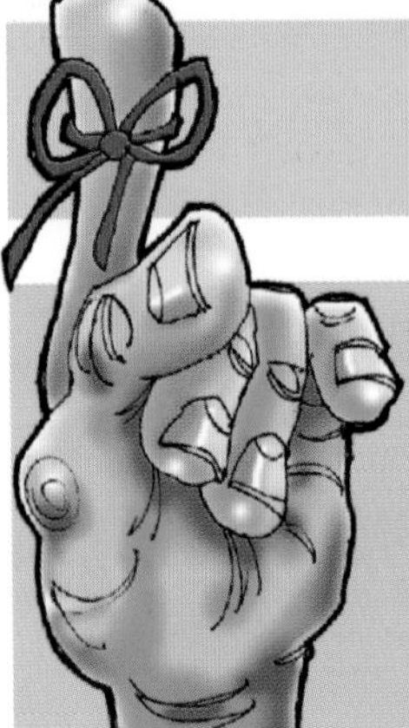

precisar ...
precisar de...

Perguntas:
Para quê?
Qual?
Quais?
O quê?

Dia 5: preciso pagar
1. Conta do telefone
2. Cartão de crédito
3. Conta da luz

PRECISO PAGAR

____
____
____
____

Atividades

Formem pares:
Escrevam uma lista de contas que uma família tem, normalmente, para pagar.

Respondam:
Como as contas podem ser pagas?
É necessário ir ao banco?

APERTANDO O CINTO
Se uma família precisa "apertar o cinto", que despesas podem ser cortadas da lista que você e seu colega fizeram?

____
____
____
____

Apresentação ao grupo:
Neste mês, precisamos apertar o cinto porque

____

Portanto, vamos cortar as seguintes despesas:

____

O que é necessário ter e fazer para pendurar uma rede?

____
____

ENTREVISTA

Ele dá duro

Chama-se Huat-Chye Lim, tem 14 anos de idade, nasceu na Malásia, mas mora em Brasília. Prepara-se para ingressar, em setembro, na Universidade de Stanford dos EUA. Quando tinha quatro anos, Lim lia 50 livros por semana. Pouco depois, aprendeu, por conta própria, a programar computadores e virou caso de estudo do departamento de psicologia da UnB. Em Stanford, o garotinho malaio vai estudar Ciências da Computação. Passou por uma peneira que podou 16 mil candidatos de todo o mundo. Gente muito mais velha do que ele.

ISTO É: *Você é um gênio?*

Lim: *Há diferença entre ser gênio e trabalhar duro. Eu trabalho duro.*

ISTO É: *Você ainda lê muito?*

Lim: *Depende da quantidade de trabalho escolar. Se tenho de estudar muito, leio três livros por mês. Não gosto de clássicos. Prefiro as obras populares.*

ISTO É: *Qual é o seu livro de cabeceira?*

Lim: *Parque Jurássico, de Michael Crichton.*

Fonte: Revista ISTO É, nº 1444.

Para podar um arbusto você usa:
( ) pá
( ) tesoura
( ) peneira

Depois de ler esta entrevista, ao dizer "há diferença entre ser gênio e trabalhar duro", você conclui que Lim é:
( ) muito estudioso
( ) humilde

O que você aprendeu a fazer por conta própria?
____
____

Conte aos seus colegas o que foi.

"Ele passou por uma peneira que podou 16 mil candidatos".
Dá para você explicar o significado dessa frase?

Como os pais de Lim devem se sentir?
( ) chateados ( ) orgulhosos ( ) preocupados

Escreva três coisas que uma criança precoce costuma fazer: ____________________
____
____

O que é possível peneirar?
( ) farinha de trigo
( ) carne

O que é possível podar?
( ) roseira
( ) cabeça de alface

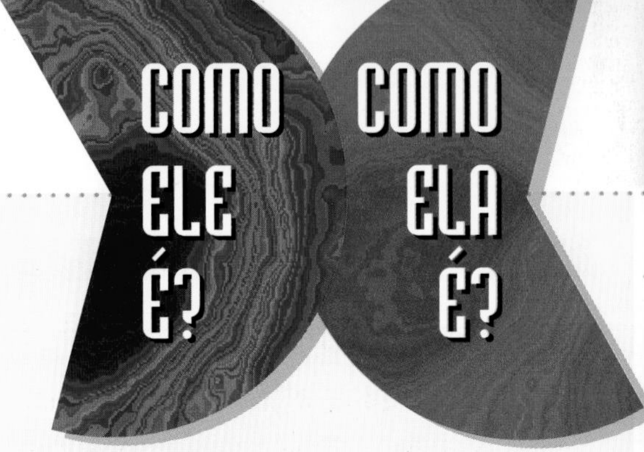

Dentro de cada quadro, coloque o número correspondente às afirmações:

1. *Ele é careca.*
2. *Ele é loiro e tem cabelos crespos.*
3. *Ele é loiro e tem barba.*
4. *Ela é loira e tem cabelos repartidos ao lado.*
5. *Ela é loira e tem cabelos repartidos ao meio.*
6. *Ela é morena.*
7. *Ele tem cavanhaque.*
8. *Ele tem bigode e é moreno. Seus cabelos são crespos.*
9. *Ele é negro e tem cabelos grisalhos.*
10. *Ele é loiro, tem cabelos lisos e bigode.*

Escreva: Como você é?

ALIMENTOS QUE MUDAM SEU HUMOR

ALIMENTOS

Segundo a nutricionista Soraia Rodrigues, de São Paulo, alguns alimentos podem interferir no seu estado de espírito. Ela aponta quais são e o que fazem:

- CARBOIDRATOS (massas, pão, cereais), SALSINHA, AIPO, CRAVO, COMINHO, GENGIBRE E ERVA-DOCE) - Aliviam o estresse mental e acalmam, porque aumentam a produção de serotonina, substância relacionada ao bom humor.
- CHOCOLATE - Dá sensação de bem-estar e alivia a ansiedade, pois contém toebromina, estimulante do sistema nervoso.

Fonte: Revista Cláudia, fev/1996.

– Você gosta de espetinho com pimentão e cebola?
– Hum! É um dos meus pratos favoritos.

O que você achou da afirmação do texto?

____

Dos alimentos abaixo, qual deles lhe "dá água na boca"?
camarão - salmão defumado - lagosta - carne de porco - ervilha - alface

____

COMO ELAS AGEM?

1. *Uma pessoa gulosa:*
- *sempre chega atrasada*
- *é muito pontual*
- *come tudo o que pode*

2. *Uma pessoa generosa:*
- *gosta de fazer tudo sozinha*
- *não sabe muito bem o que quer*
- *gosta de colaborar com os outros*

3. *Uma pessoa bem-humorada:*
- *sempre está irritada*
- *sempre está com pressa*
- *ri com facilidade*

4. *Uma pessoa sociável:*
- *não gasta dinheiro*
- *gosta de dar opiniões contrárias*
- *aprecia a companhia de outras pessoas*

Agora, continue:

Uma pessoa amável sempre

____

Uma pessoa tímida, normalmente,

____

Uma pessoa chata fica sempre

____

PRECISAR DE ... PRECISAR ...

martelo luvas serrote escada pincel

Complete:

1. Para pregar eu preciso de ______________________
2. Para trocar lâmpadas você precisa de ______________
3. Para lavar louças ela precisa de ________________
4. Para pintar eles precisam de ____________________

Escrevendo

1. Escreva três coisas que você precisa fazer ou resolver esta semana.

____

2. Que providências você vai tomar para solucionar tudo?

____

3. Compare o que você escreveu com seu colega. Você pode ajudá-lo? De que maneira?

Complete o diálogo com os verbos indicados:

– Quantas pessoas você quer ____________ (convidar) para a festa?

– Talvez umas quarenta. Eu ____________ (precisar) telefonar para alguns bufês, ainda, para decidir se vou fazer jantar ou coquetel.

– Os preços ______________ (variar) muito de um bufê para outro?

– E como!

– Alguns bufês custam os olhos da cara!

Como calcular a quantidade certa de comida e bebida

Almoços e jantares (por pessoa):
Churrasco ou feijoada: 350 gramas
Filé de peixe, carne ou frango com um prato único: 200 gramas
Coquetéis com prato quente: 5 salgadinhos por pessoa
Coquetéis sem prato quente: 10 salgadinhos por pessoa
Bebidas (previsão para 100 pessoas):
Vinho branco: 5 caixas com 12 garrafas (cada garrafa equivale a cinco copos)
Vinho tinto: 2 caixas com 12 garrafas
Uísque: 1 caixa com 12 garrafas (cada litro equivale a 18 doses)

Atividades

1. Formem grupos de quatro e organizem um almoço para vinte pessoas. ***Não esqueçam:*** quem vai comprar a carne e a bebida, quem vai preparar as saladas, quem vai fazer os convites e quem vai escolher as músicas.
2. Apresentem o cardápio, o convite e a seleção de músicas ao grupo.

Motorista: *Aonde o senhor quer ir?*
Passageiro: *Para o Hotel Rio de Janeiro.*
Motorista: *Tudo bem.*
Passageiro: *O hotel é* ***longe****?*
Motorista: *Não. É perto. Fica logo ali,* ***depois do*** *túnel.*

Depois de cinco minutos:

Motorista: *Pronto. Chegamos.*
Passageiro: *Que* ***rápido****. Quanto é a corrida?*
Motorista: *São R$ 9,20.*

O passageiro dá uma nota de R$ 10,00 e não faz questão de receber o troco.

Passageiro: *Tudo bem. O senhor* ***pode ficar*** *com o troco.*
Motorista: *Obrigado.*
Passageiro: *Até logo.*
Motorista: *Até logo.*

fazer questão de
ajudar
receber o troco
pagar alguma coisa

Sempre faço questão de:

( ) dar carona aos meus amigos
( ) receber o troco
( ) ajudar meus parentes
( ) manter minhas coisas em ordem

Trocando Informações

O que é TELE-TÁXI?

Converse com seu colega sobre os preços das corridas de táxi.

O que é "bandeirada"?

É possível combinar o preço antes da corrida?

De que maneiras podemos chamar um táxi?

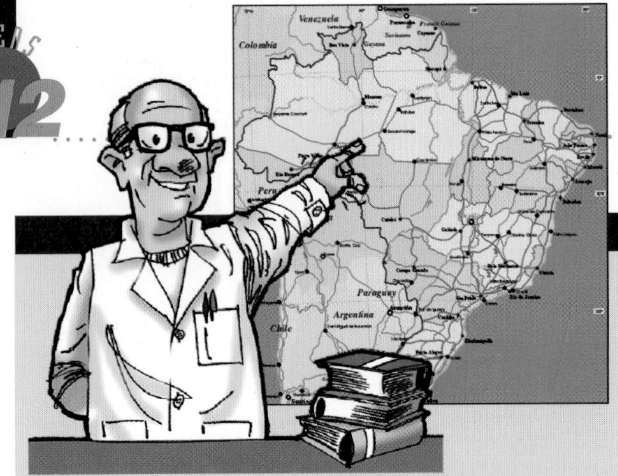

ELES SÃO ATORES

**O sr. Carlos é professor de Geografia.
Professores trabalham em escolas, colégios e universidades.**

Profissões	**Lugares de trabalho**
Médicos trabalham em	hospitais, clínicas e consultórios
Jornalistas trabalham em	jornais, revistas e televisão
Artistas trabalham em	televisão, cinema e teatro

Outros lugares de trabalho:
escritório - loja - banco
fábrica - oficina mecânica
salão de beleza - hotel

1. Em que filme Robert de Niro teve que engordar para interpretar o personagem?
a. Touro Indomável
b. O Poderoso Chefão
c. Tempo de Despertar

2. Marlon Brando teve de emagrecer alguns quilos antes de retornar às produções de Hollywood. Qual é o filme que marca este retorno?
a. A Lagoa Azul
b. Scar Face
c. Don Juan de Marco

3. Liz Taylor já teve alguns problemas de excesso de peso. A atriz adora uma comidinha que engorda. Qual é?
a. brownies de chocolate
b. franguinho frito
c. bacalhoada

— Você gosta de cinema?
— Demais. Estou sempre por dentro de tudo. Adoro um bom filme, principalmente com os atores Bruce Willis e Arnold Schwarzenegger.

4a. Você sabe de outros atores ou atrizes que tiveram de:

4b. Que papéis eles fizeram?

a) emagrecer? ________________ ________________
b) engordar? ________________ ________________
c) cortar os cabelos? ________________ ________________
d) pintar os cabelos? ________________ ________________
e) mudar totalmente o visual? ________________ ________________

Respostas: 1 - a, 2 - c, 3 - b.

FOCALIZAÇÃO
Plural dos substantivos que terminam em *el*

singular	*plural*
o papel	**os papéis**
o anel	**os anéis**
o coronel	**os coronéis**

Você sabe?

Que tipos de empresas prestam serviços durante 24 horas?

____

____

SINAIS

O que significam?

 positivo

 negativo

Como ler:

2 + 2 = 4
(dois mais dois são quatro)
8 - 6 = 2
(oito menos seis são dois)
2 x 2 = 4
(dois vezes dois são quatro)
8 : 2 = 4
(oito dividido por dois são quatro)

DIREÇÕES

para cima

para baixo

para a esquerda *ou* **vire à esquerda**

para a direita *ou* **vire à direita**

curva

reto *ou* **siga em frente**

ponto de interrogação	?	
ponto de exclamação	!	
ponto final	.	
vírgula	,	
reticências	...	
dois pontos	:	
sinal de adição (mais)	+	
sinal de subtração (menos)	−	
sinal de multiplicação	×	
sinal de divisão	÷	
sinal de igual	=	
parênteses	( )	
hífen	-	*ex-prefeito*
abrir aspas	“	
fechar aspas	”	
til	~	*não*
trema	¨	*tranqüilo*
acento agudo	´	*café*
acento circunflexo	^	*você*
crase	`	*às*
apóstrofo	’	*copo d’água*

APRESENTAÇÃO É IMPORTANTE?

O QUE VOCÊ FAZ?

Vera é estudante e Lídia é guia de turismo. Elas conversam na sala de espera do dentista. Complete o diálogo entre as duas.

Vera: O que você faz?
Lídia: Eu sou ____________________
Vera: Puxa... Que barato! Deve ser um trabalho muito interessante!
Lídia: E você? O que faz?
Vera: ____________________
Lídia: ____________________
Vera: ____________________
Lídia: ____________________
Vera: ____________________

Responda:

a. Qual é o perfil de sua profissão?
b. Que cuidados você deve ter em sua profissão com seus cabelos, unhas, sapatos e roupas?
c. Você conhece alguma profissão, cuja apresentação pessoal é mais importante que na sua?
d. Transcreva que tipo de exigências você já observou nos "Classificados de Emprego" dos jornais.

Atividades

Mostre o seu diálogo para o seu colega. Troquem o que acharem necessário e apresentem o diálogo para o grupo.

O ALFABETO

a b c d e f g h i j k l m n o p q r s t u v w x y z

a. Em abreviaturas: km (quilômetro), símbolos de termos científicos: K (potássio), w (watt), yj (jarda).
b. Na transcrição de palavras estrangeiras: kart, show, hobby.
c. Em nomes próprios estrangeiros não aportuguesados e seus derivados:
Walt Disney - Disneylândia
Shaskespeare - Shakesperiano

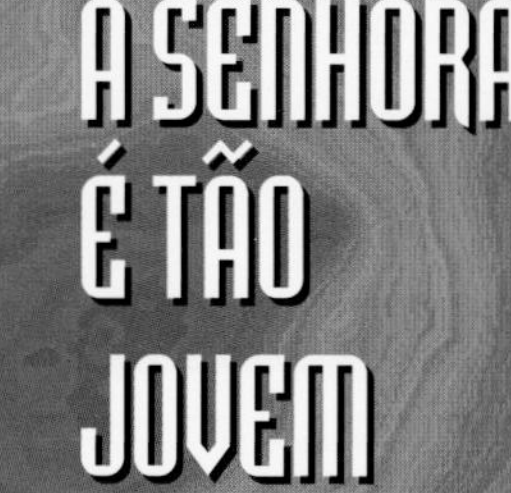

A SENHORA É TÃO JOVEM

NA FILA

Na fila do banco a sra. Lúcia *puxa conversa* com o sr. Luís.

– *Onde o senhor trabalha?*
– *Eu ______________ na Pioneira.*
– *O que o senhor faz?*
– *Eu ______ guia de turismo.*
– *E a senhora?*
– *Eu não ___________ mais. Eu ______ aposentada.*
– *Já? Mas a senhora é tão jovem!*
– *Oh! Obrigada. É que eu comecei a trabalhar quando tinha dezesseis anos.*

Observe

tão **jovem**
tão **velho**
tão **novo**
tão **antigo**
tão **bonito**
tão **feio**
tão **alegre**
tão **triste**
tão **interessante**
tão **desinteressante**
tão **invejoso**
tão **cansado**

Tratamento formal
o senhor
a senhora
a senhorita

Tratamento informal
você

As pessoas puxam conversa para:
( ) fazer amizade
( ) passar o tempo
( ) fazer fofoca

COMUNICAÇÃO VERBAL

Fale sobre a aposentadoria em seu país.
Dicas: por idade, por tempo de serviço.

REVISÃO

Complete com ***longe daqui*** ou ***perto daqui***.

– O hotel fica perto?

– Sim, ______________________.

Mas a farmácia fica ______________________.

– O aeroporto fica longe?

– Não, ______________________.

Mas a rodoviária fica ______________________.

FOCALIZAÇÃO *plantar*

	imperativo
plantar	**plante**
chegar	____________
agüentar	____________
verificar	____________
ficar	____________

OBSERVAÇÃO:
verbos **ser** e **ficar**
*– Onde **é** sua casa?*
ou
*– Onde **fica** sua casa?*

Preposição **em** + **artigo**

Ele trabalha ***em um*** banco.
Ele trabalha ***num*** banco.

Ela trabalha ***em uma*** loja.
Ela trabalha ***numa*** loja.

Imperativo: ________ uma árvore.

Complete com ***num*** ou ***numa***:

– Onde Carlos trabalha?

– Ele trabalha ________ loja do shopping.

– Onde Maria estuda?

– Ela estuda ________ colégio da prefeitura.

– Onde os alunos plantam as mudinhas de pinheiro?

– ___________ sítio perto da escola.

FAZER QUESTÃO. FAZER QUESTÃO DE ...

Você faz ou não faz questão?

Quando marco um compromisso, faço questão de ______________________

Quando recebo um recado, faço questão de ______________________

Quando devo para alguém, faço questão de ______________________

Quando recebo um hóspede em casa, faço questão de ______________________

COM MAIÚSCULA OU MINÚSCULA?

Emprego das iniciais maiúsculas

1. A primeira palavra do período:
O fêmur é o osso mais comprido do corpo humano.
2. Substantivos próprios (nomes de pessoas, nomes sagrados, mitológicos, astronômicos): *Ricardo Santos, Rita de Cássia, Baco (deus do vinho), Saturno.*
3. Nomes de épocas históricas, festas religiosas:
Renascimento, Modernismo, Natal, Páscoa.
4. Nomes de altos cargos:
Presidente da República, Deputado Federal, Deputado Estadual.
5. Nomes de ruas, praças, edifícios, colégios:
Rua D. Pedro II, Praça da República, Edifício Império, Colégio Tiradentes.
6. Nomes de artes, ciências, produções artísticas, literárias e científicas, títulos de jornais e revistas:
Química, Correio de Notícias, Veja, O Globo, Manchete, CNN Espanhol.
7. Expressões de tratamento:
Vossa Santidade, Vossa Majetade, Vossa Senhoria, Senhor Diretor.
8. Nomes dos pontos cardeais:
Norte (N), Sul (S), Leste (L), Oeste (O).

Os pontos cardeais, quando não indicam regiões, são escritos com iniciais minúsculas

Exemplo: Viajei de norte a sul.

Emprego das iniciais minúsculas

1. Nomes de meses:
fevereiro, março, abril, maio, junho, dezembro
2. Festas pagãs ou polulares:
carnaval
3. Nomes comuns antepostos a nomes próprios geográficos:
rio Nilo

Preencha os espaços com letra maiúscula ou minúscula:

1. Na __dade (i) __édia (m) acreditava-se que os gatos eram bruxas transformadas em animais.
2. Gosto de tirar férias no mês de __ aneiro (j).
3. Nós moramos na __ venida (a) __etúlio (g) __ argas (v).
4. O __mpire (e) __tate(s) __ uilding (b) foi inaugurado no dia 1º de __aio (m) de 1931.

O SENHOR JÁ FEZ RESERVA?

FALANDO DE TURISMO

PAISAGEM EUROPÉIA E RICA GASTRONOMIA FAZEM DA SERRA GAÚCHA UMA BOA OPÇÃO PARA QUEM VAI CURTIR FÉRIAS NO FRIO.

Um grande sucesso da região são os cafés coloniais. Com 60 itens, em média, saborear as guloseimas de um tradicional café colonial exige pelo menos uma hora e meia à mesa.

Leia a opinião de uma turista sobre o frio:

"No clima frio, as pessoas ficam mais elegantes, comem bem e vivem melhor ainda".

SC
Canela
Gramado
Cambará do Sul
Nova Petrópolis
São Francisco de Paula
Porto Alegre
RS

Dê a sua opinião também:

___

Continue: No frio, é necessário usar gorros, luvas, ________

___

SERRA GAÚCHA

Como chegar:
Pela rodovia **RS 115 – Porto Alegre - Gramado**, via Taquara. São 114 quilômetros.

Onde ficar:

Hotel Laje de Pedra ♦♦♦♦♦
Av. Pres. Kennedy, s/nº, Canela - RS
Diária aptº padrão para casal: **R$ 120**
mais 10% de taxa de serviço
Tel.: (054) 282-4300

Hotel Serra Azul ♦♦♦♦♦
Rua Garibaldi, 152, Gramado - RS
Diária aptº padrão para casal: **R$ 137**
mais 10% de taxa de serviço
Tel.: (054) 286-1082

Hotel Bavária ♦♦♦
Rua Bavária, 543, Gramado - RS
Diária aptº para casal: **R$ 80**
Tel.: (054) 286-1362

Pousada Recanto da Lua ♦♦
Rua Antonio Accorsi, 322, Gramado - RS
Diária aptº para casal: **R$ 43**
Tel.: (054) 3286-2463

Fonte: Revista ISTO É nº 1444

Dramatização

Formem grupos de três:

a) um turista
b) uma telefonista
c) alguém para atender reservas

O turista deve ligar para o hotel para fazer reserva.

Como conseguir confirmação da reserva para a sua segurança?

___

PREENCHENDO UMA FICHA

Ficha

Nome:	*Mário de Lima*
Data de nascimento:	*27 de abril de 1978*
Nacionalidade:	*brasileira*
Natural de:	*Brasília*
Nome do pai:	*Luís de Lima*
Nome da mãe:	*Vitória de Lima*
Estado civil:	*solteiro*
Profissão:	*economista*
Endereço residencial:	*Rua Sete de Setembro, 2004 - apto. 22*
Bairro:	*centro*
Cidade:	*Salvador*
CEP:	*41200-200*
Estado:	*Bahia*
Telefone:	*233-0350*
DDD:	*(71)*
Endereço profissional:	*Rua Tiradentes, 507 - conjunto 5*
Bairro:	*Tiradentes*
Telefone:	*232-1282*

Qual é o seu endereço residencial?

___

Qual é o seu endereço profissional?

___

Qual é o DDD de sua cidade?

___

Qual é a sua profissão?

___

FOCALIZAÇÃO

verbos regulares em *-ar*
Modo indicativo

falar

	presente	*pretérito perfeito*
eu	**falo**	**falei**
ele - ela - você	**fala**	**falou**
nós	**falamos**	**falamos**
eles - elas - vocês	**falam**	**falaram**

imperativo: fale

CURIOSIDADES

Os gorilas mostram a língua quando estão brabos.

Os elefantes pesam, aproximadamente, 6,5 toneladas.

As focas pesam, mais ou menos, 80 quilos.

Faça perguntas para as afirmações acima:

____

____

____

Dicas

O que...

Quantos...

Quantas..

Quais as providências que devem ser tomadas pelos donos de cachorros?

____

____

____

O que significa esta placa num portão de uma casa?

Preposições: com ou sem?

Pergunte ao seu colega:

*Você quer uma camisa **com** ou **sem** bolsos?*

____

*Você quer sapatos **com** ou **sem** fivela?*

____

*Você quer uma camiseta **com** ou **sem** mangas?*

____

*Você quer molho de tomate **com** ou **sem** pimenta?*

____

*Você quer bolo de baunilha **com** ou **sem** recheio?*

____

ONDE PONHO A TORRADEIRA?

a cadeira
a penteadeira
a estante
o freezer
a escova

a cama de casal
o vaso sanitário
o fogão
a pia
a poltrona

a mesa de jantar
a cafeteira
o sofá
o secador

a banheira
o barbeador
a panela
a lavadora
o armário

o espelho
a torradeira
o aparelho de barbear
o chuveiro
a ducha
o relógio de parede

Partes de uma casa:

sala - cozinha - quarto - corredor - copa - banheiro - lavabo - área de serviço

---

Complete:

Na sala colocam-se ____.

Na cozinha, ____ e

no banheiro, ____.

O QUE O SENHOR GOSTARIA DE COMER?

NA LANCHONETE

Garçom: – *Pois não?*
Freguês: – *Gostaria de tomar um suco de laranja.*
Garçom: – *Com gelo ou sem gelo?*
Freguês: – *Com duas pedras de gelo.*
Garçom: – *O que o senhor gostaria de comer?*
Freguês: – *Um misto quente.*

Depois de dez minutos...
Garçom: – *O senhor gostaria de mais alguma coisa?*
Freguês: – *Sim. Gostaria de tomar um sorvete.*
Garçom: – *De que sabor?*
Freguês: – *De morango.*
Garçom: – *Pois não.*

Depois de cinco minutos...
Freguês: – *O senhor poderia trazer a conta?*
Garçom: – *Claro! Um minuto, por favor.*
Freguês: – *O senhor pode ficar com o troco.*
Garçom: – *Obrigado.*

Qual é a diferença?

– Pois não?

– Pois não.

– Pois sim!

Atividades

1. Crie três diálogos usando as expressões ao lado.
2. Apresente ao grupo.

PRECISO SACAR R$ 100,00

Agora ele está no banco para retirar R$100,00.

*O que **não** é relacionado com banco?*

( ) talão de cheques
( ) extrato
( ) comprovante de depósito
( ) comprovante de saque
( ) receita médica
( ) canhoto de cheque

Os cheques devem ser nominais. Preencha o cheque abaixo destinando o dinheiro a um parente seu

0012 | 8 | 00001 | Conta | Agência | Cheque | R$ 158,50

Pague-se por este cheque a quantia de ______ Ou à sua ordem

______ de ______ de ______

A ______

BBM Banco Brasileiro Mercantil

Aristófiles Cristóvão Damásio
CPF 012345678-99

SUA OPINIÃO

Por que, normalmente, um grande número de pessoas se mostra resistente a mudanças na forma de usar o sistema bancário? Exemplo: Uso de cartão magnético, do cartão de crédito e do auto-atendimento?

Atividades

Formem grupos de três e escrevam que operações bancárias podem ser feitas através do caixa automático.

____

____

Relacionem os passos necessários para:
a. fazer um depósito
b. fazer um saque
c. solicitar um talão de cheques

INFORMANDO

Quais são as festas infantis mais comuns em sua cidade?

____

____

Os pais também participam? Como?

____

____

O DIA DAS BRUXAS

QUEM É ELE?

Pedro: *Quem é ele?*
Lúcia: *Não sei ainda.*
Pedro: *Acho que é o seu Luís, o pai de Francisco.*
Lúcia: *Talvez. Os olhos são azuis.*
Pedro: *E os pés são grandes.*
Lúcia: *É mesmo. Acho que ele calça nº 41.*
Pedro: É muito difícil adivinhar. Vamos esperar. Daqui a pouco ele vai tirar a fantasia.

As festas de "Halloween" estão se tornando cada vez mais comuns em muitos países. Muitos pais também gostam da brincadeira e se divertem com as crianças.
Você também se diverte no Dia das Bruxas? O que você faz?

____

Responda: Que número você calça? ____________________

Complete: Uma loja de calçados vende

____

tênis

botas

sapatos de saltos altos

bolsas

cintos

SOBRE OS CHINESES

Você sabia que o leque é muito antigo? Muitos acham que é originário da China. O leque de fechar é invenção relativamente moderna, talvez de princípios do século XV.

A palavra leque é vocábulo da Ásia Chinesa.

ACUPUNTURA

Contribuição da Medicina Chinesa para a Humanidade na arte de curar.

– Em que consiste?

– Em introduzir uma ou mais agulhas muito finas na pele, para obter a cura de certas doenças.

Escreva o oposto:

1. leque fechado ____________________
2. portão aberto ____________________
3. agulha fina ____________________
4. agulhas grossas ____________________
5. portões fechados ____________________
6. leques abertos ____________________

PRONÚNCIA

ACUPUNTU**R**A — CA**R**O

BA**R**ATO — INTE**R**ESSANTE

DIFE**R**ENTE — CATA**R**INA

SUA OPINIÃO

Das invenções abaixo, qual delas é a mais interessante? Justifique sua resposta.

( ) panela de pressão
( ) dinamite
( ) hidroavião
( ) papel-carbono
( ) barbeador
( ) microonda

REVISÃO

FOCALIZAÇÃO

Verbos ser e estar
Modo indicativo

ser
estar

	Presente	
eu	**sou**	**estou**
ele - ela - você	**é**	**está**
nós	**somos**	**estamos**
eles - elas - vocês	**são**	**estão**
imperativo:	**seja**	**esteja**

Complete os diálogos:

– Quem ______ com dor no joelho?
– Alice.

– Onde _______ as vassouras?
– Elas __________ na área de serviço.

– Quem ______ o pediatra das crianças de Ana?
– O dr. Mauro de Carvalho.

– Que horrível! Esta manteiga ______ rança.
– Sim, __________. Que pena.

– O abacaxi _______ verde ou maduro?
– Ele __________ maduro.

– Alfredo e Ana ______ namorados ou noivos?
– Eles _______ noivos.

AGRADECIMENTOS

– MUITO OBRIGADO.	*– OBRIGADO/OBRIGADA.*
– DE NADA.	*– DE NADA.*
– NÃO TEM DE QUÊ.	*– NÃO TEM DE QUÊ.*

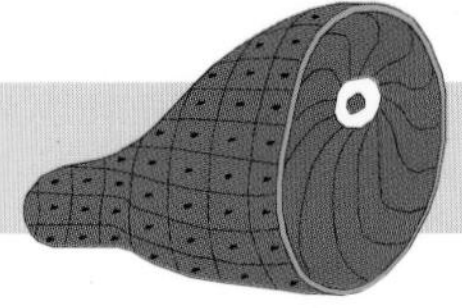

Continue as frases:

1. Eu gostaria de comer pernil assado, mas vocês

____

2. Vocês gostariam de comer peixe grelhado, mas eu

____

3. Nós gostaríamos de tomar café amargo, mas eles

____

4. Eu gostaria de chope com muita espuma, mas elas

____

GOSTO DE IR AO PARQUE

GOSTAR DE...

NO PARQUE

o sol

a nuvem

a árvore

Gosto muito de ficar aqui no parque. É muito calmo.

tronco de árvore

O contrário de calmo é agitado.

Lúcia corre no parque três vezes por semana e Carlos, todos os dias. Ele gostaria muito de conversar com Lúcia, mas... é muito tímido.

Relacionamentos

Quem faz amigos com mais facilidade?

( ) as pessoas extrovertidas
( ) as pessoas tímidas
( ) as pessoas fofoqueiras
( ) as pessoas mais sinceras

Uma pessoa tímida:

( ) fala muito
( ) fala pouco
( ) ri muito alto

Descreva um parque de sua cidade.

NUM PARQUE:

a. que atividades nós podemos praticar?

____

____

b. que eventos culturais ou artísticos podem ser realizados?

____

____

COM QUE ROUPA EU VOU?

O Seu Guarda-Roupa Não É Prático Se...

... você gasta mais do que 15 minutos apenas olhando para suas roupas, sem saber o que escolher.

... você sempre acha que não tem nada para vestir.

... você deixa de usar alguma roupa porque faltam botões, há manchas ou ela está amassada.

... você tem peças que não usa há várias estações e nem se lembra mais delas.

Boas Razões Para Não Comprar Uma Roupa

"Não sei se gosto do corte, mas gosto da cor."

"Não sei se gosto da cor, mas gosto do corte."

"Está na liquidação."

"Eu preciso de qualquer roupa nova para usar esta noite."

"Está um pouco pequeno, mas vou emagrecer."

"A vendedora garantiu que vai ficar mais folgada com o uso."

"Está um pouco grande, mas se eu lavar logo, acho que encolhe."

Fonte: Revista Claudia, Fevereiro/96

Você se lembra de ter comprado alguma roupa e, ao chegar em casa, não gostou dela?
O que fez?
Ficou com ela?
Foi até a loja e a trocou por outra?
Quis devolvê-la e pediu o dinheiro de volta?
Faça as mesmas perguntas para o seu colega.

EU TENHO MUITO TRABALHO

CONVIDANDO UM AMIGO

O dr. Carlos é advogado. Ele fala com seu amigo Luís, pelo telefone:

Luís: *Vamos jogar golfe sábado à tarde?*
Carlos: *Sábado? Não posso. Tenho muito trabalho.*
Luís: *E domingo?*
Carlos: *Também não posso. Preciso visitar minha sogra que está doente. Que tal quinta-feira?*
Luís: *Quinta? Boa idéia!*
Carlos: *Então, obrigado pelo convite e até quinta, às sete. Está bem?*
Luís: *Ótimo. Até quinta. Estimo melhoras para sua sogra.*
Carlos: *Obrigado.*

Para não jogar golfe no fim de semana, você acha que Carlos deu:
( ) desculpas. Ele mentiu.
( ) reais motivos. Ele falou a verdade.

Justifique a sua resposta: ______________________

____

Ajude o homem a dar uma desculpa para o amigo.

– Não posso jogar golfe. Tenho muito trabalho.

Dê desculpas para:
a. não cuidar das crianças do vizinho
b. não emprestar seu CD favorito

ONDE COLOCAR OS OBJETOS?

SEPARANDO OS OBJETOS

1. Que objetos você deixaria no escritório?

___

2. Que objetos você deixaria na cozinha?

___

Complete:

Um juiz de futebol não pode entrar em campo sem um ___

Responda:

Quem mais, além de juiz de futebol, precisa de apito?

___

O que acontece aos jogadores de futebol quando o juiz apresenta:

a. cartão amarelo b. cartão vermelho

___

DÁ PARA VOCÊ TROCAR ESTA NOTA?

NO BANCO

Caixa: *Pois não?*
Luís: *É possível descontar este cheque?*
Caixa: *Um momento, por favor. Pronto. Dez reais, mais dez são vinte. Mais 10, trinta, mais dez quarenta e mais dez são cinqüenta. Certo?*
Luís: *Certo. Obrigado.*
Caixa: *Mais alguma coisa?*
Luís: *Sim, dá para trocar esta nota de R$ 10,00 por duas de R$ 5,00?*
Caixa: *Sim, dá.*

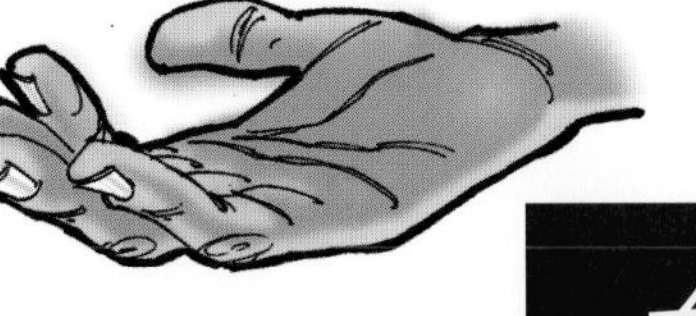

Afirmativo: Dá

Negativo: Não dá

NOTA

Em algumas situações o verbo dar na terceira pessoa do singular tem o significado de *"é possível"*.

Exemplos

1. *Dá para trocar o dinheiro?* Dá.
2. *Dá para trocar de lugar?* Dá.
3. *Dá para estar em casa ao meio-dia?* Dá.

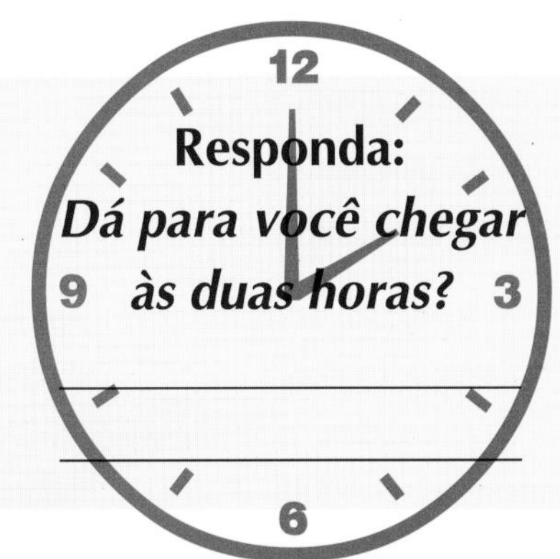

Atividades

Com seu colega, escreva cinco perguntas usando a expressão ***dá para ...?*** Depois, faça as mesmas perguntas para outro par. A seguir, responda às perguntas de seus colegas.

Dá para fazer, não dá?

PRONÚNCIA

gue, gui

açougue
águia
fogueira
guerra
guerreiro
guia
guitarra
preguiça
sangue

o foguete

a fogueira

je, ji

anjinho
berinjela
canjica
gorjeta
jejum
laranjeira
sujeito
trajeto

o anjinho

a berinjela

h: inicial

habitar
hábito
herança
herói
higiene
horta
hóspede
humor
hotel
hora
homeopatia

a horta

o hotel

DIÁLOGO

– Você viu o Desfile de Escolas de Samba?
– Eu vi pela televisão.
– E você já sabe quem tirou primeiro lugar?
– Foi a Beija-Flor. Eu acho que a escola mereceu.

Complete o diálogo:

Nanci: *Você gosta mais de música clássica ou popular?*
Rita: *Gosto mais* ______________________________.
Nanci: *Não diga! Que coincidência. Eu também. Tenho muitos CDs* ______________________.
Rita: *Apesar de gostar demais, não tenho muitos. Os bons CDs são muito caros e eu não tenho muito dinheiro.*
Nanci: *Mas eu posso lhe emprestar alguns que* ***saíram*** *recentemente.*
Rita: ***Dá para*** *você me emprestar? Mesmo?*
Nanci: ***Claro que dá!***

Observação

emprestar de - emprestar para

Escreva os nomes de três objetos que você não empresta para ninguém de jeito nenhum:
______________________, ______________________ e ______________________.
Compare com os objetos de seu colega.

Complete:

1. Quem tem ciúme é ____________________.
2. Quem tem inveja é ____________________.
3. Quem tem cuidado é ____________________.
4. Quem tem medo é ____________________.

Qual é sua revista semanal favorita?

____

Que dia da semana ela sai?

____

EU JÁ ESTIVE NA CHINA

DIÁLOGO

A muralha da China é o único monumento da Terra que pode ser visto a olho nu da Lua. Seus muros têm, em geral, dezesseis metros de altura. Estima-se que, no passado, a muralha possuía 40 mil torres de vigilância.

Vera: *Em que países você já esteve?*

Ana: *Eu já estive na França, Itália, Inglaterra, Holanda e Alemanha. E você?*

Vera: *Eu só viajei para a China até agora. Foi uma viagem inesquecível.*

Ana: *China! Que fantástico. Deve ter sido fascinante.*

Vera: *Foi mesmo. Minha irmã também gostou demais. O povo chinês é muito amável.*

Ana: *Será que vocês vão voltar, então?*

Vera: *Quem sabe, não é? Talvez nas próximas férias. Há lugares que eu gostaria de rever.*

EXERCÍCIOS

1. (São Paulo)
   Nós já ______________________
2. (o Uruguai)
   Alice nunca ______________________
3. (Roma)
   Pedro e eu já ______________________
4. (o México)
   Eu ainda não ______________________
5. (os Andes)
   Quem de vocês já ________________?

OBSERVE

(a China) – Eu estive na China.
(o Peru) – Eu estine no Peru.
(Portugal) – Eu estive em Portugal.
(os Estados Unidos) – Eu estive nos Estados Unidos.

FALANDO SOBRE VOCÊ

1. Em que países você já esteve?

____

2. Fale das atrações turísticas, da comida e do povo.

____

QUERO UM CARRO NOVO EM FOLHA

LENDO

NUMA CONCESSIONÁRIA

Jorge: *Bom dia!*
Vendedor: *Bom dia!*
Jorge: *Quero* ***dar uma olhada*** *num carro 4 portas, a gasolina.*
Vendedor: *De que cor?*
Jorge: *Branco.*
Vendedor: *Temos somente dois aqui na loja, quatro portas. Venha.* ***Vou lhe mostrar.***
Jorge: *Obrigado.*

VISITE NOSSA CONCESSIONÁRIA E VEJA OS PREÇOS E AS CONDIÇÕES DE PAGAMENTO.

À VISTA • 25% DE ENTRADA • PRESTAÇÕES A PARTIR DE R$ 560,00

VOCÊ TAMBÉM PODE ADQUIRIR SEU CARRO 0 KM PELO CONSÓRCIO.

PESQUISANDO PREÇOS

1. *Ao comprar alguma coisa:*
   ( ) *você compra na primeira loja que entra*
   ( ) *você compara preços indo a várias lojas*

2. *Alguma vez você já se arrependeu de ter comprado alguma coisa sem pesquisar os preços? O que foi?*

   ____

CARROS NOVOS E USADOS

Você prefere comprar:

1. *um carro novo em folha ou de segunda mão?*

   ____

   ____

2. *quais são as vantagens?*

   ____

   ____

pronomes *lhe* e *te*

lhe **= para você**

informal: ***te***

Vou **te** mostrar.

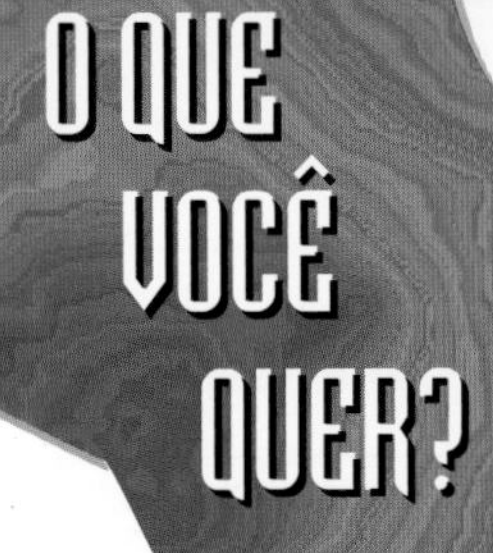

NUMA CHURRASCARIA

Maria: *O que você quer comer?*

Alice: *Quero comer um filé bem-passado. E você?*

Maria: *Eu quero picanha.*

Alice: *E o que você quer beber?*

Maria: *Quero beber um refrigerante.*

Alice: *Eu prefiro uma cerveja.*

Responda:
Você quer filé bem-passado, mal passado ou ao ponto?

____

____

Churrascaria Espeto Corrido

Rodízio com 18 tipos de carne e buffet de saladas/molhos

- *boi*
- *carneiro*
- *leitão*
- *frango*

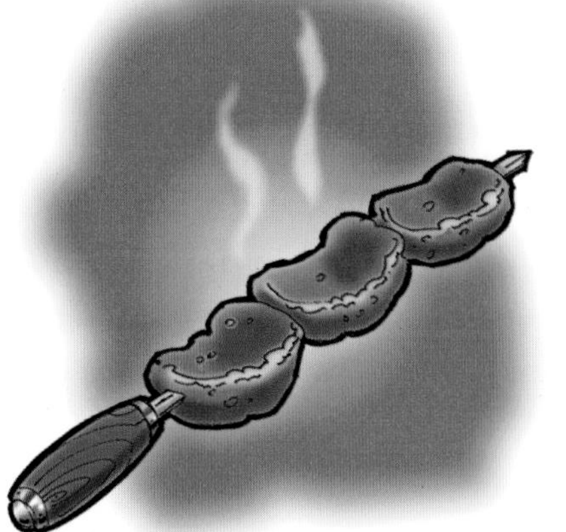

SALADAS
de pepino
de tomate
de cebola
de alface
de berinjela
de batata

boi

frango

leitão

carneiro

Complete o diálogo:

– Que tipo de carne você gostaria de comer no almoço?

____

____

– Que salada você acha que **vai bem** com essa carne?

____

DESPESAS/MÊS	R$
mensalidade do colégio	________
supermercado	________
restaurantes	________
combustível	________
feira	________
aluguel	________
extras	________
TOTAL	________

Você já esteve na Holanda?

– Sim, já estive. **– Não, nunca estive.**

Faça perguntas:
em São Paulo - ______________________
no Rio de Janeiro - ______________________
em Brasília - ______________________
em Paris - ______________________
na Itália - ______________________
no Japão - ______________________
nos Estados Unidos - ______________________

FOCALIZAÇÃO

Verbos irregulares
Modo indicativo

estar - querer

	verbo *estar* - pretérito perfeito	verbo *querer* - presente
eu	estive	quero
ele - ela - você	esteve	quer
nós	estivemos	queremos
eles - elas - vocês	estiveram	querem

PRATICANDO

Siga o modelo:
Vou lhe mostrar = Vou te mostrar.

1. Vou lhe telefonar = ______________________

2. Vou lhe emprestar = ______________________

Dá - Não dá

Você tem:
R$ 5,00 - Dá para comprar um rádio?
____

R$ 100,00 - Dá para comprar uma televisão?
____

R$ 100.000,00 - Dá para comprar um apartamento?
____

Quem nasce em São Paulo é paulista.
Quem nasce no Rio de Janeiro é carioca.

Complete:
1. Quem nasce na França é
____

2. Quem nasce no México é
____

3. Quem nasce na Inglaterra é
____

– Em que cidade você nasceu?
– ______________________

ELE FOI O CAMPEÃO

DIÁLOGO

Maria: *Quem é o campeão de tênis?*
Júlio: *Luís de Lima.*
Maria: *E quem foi o campeão em 2002?*
Júlio: *Mário de Lima.*
Maria: *Mas ele não é irmão de Luís?*
Júlio: *Parece que sim.*

Mário foi o campeão.

Informação

COPA DO MUNDO, EM 1994, NOS ESTADOS UNIDOS

DATA:	de 17 de junho a 17 de julho
PAÍSES PARTICIPANTES:	24
PAÍSES NAS ELIMINATÓRIAS:	146
CAMPEÃO:	BRASIL
FINAL:	Brasil 0 x 0 Itália (nos pênaltis, Brasil 3 x 2 Itália)

MARCOS ROSA / ABRIL IMAGENS

Romário comemora a Copa do Mundo. O Brasil é tetra em 1994.

ABRIL IMAGENS

ABRIL IMAGENS

Fale o que você sabe sobre futebol: jogadores, torcedores, estádios e preços dos ingressos.
O que é uma goleada?
A maior goleada de uma Copa foi registrada em 1982, na Espanha: Hungria 10 X 1 El Salvador.

Atividades

1. *Crie duas leis para punir torcedores violentos.*
2. *Apresente ao grupo.*

Pronúncia

campeão	campeões	irmão	irmãos
campeã	campeãs	irmã	irmãs

FOCALIZAÇÃO

Verbos ser
Modo indicativo

ser

	Pretérito perfeito
eu	fui
ele - ela - você	foi
nós	fomos
eles - elas - vocês	foram

FORA DO COMUM

CAVERNAS

No Brasil há 1.143 cavernas cadastradas. A maior parte delas, 437, está localizada no estado de Minas Gerais. Em São Paulo há 242.

Fora do comum

1. O que é necessário fazer para visitar uma caverna com segurança?

____

2. É comum viajar para visitar cavernas ou é fora do comum?

____

3. Que viagens ou passeios são considerados fora do comum?

____

REFERINDO-SE AO PASSADO

ontem
anteontem
na semana passada
no mês passado
no ano passado
há uma semana
há duas semanas
há um mês
há dois meses
há um ano
há algum tempo
há pouco
na semana retrasada
no mês retrasado
no ano retrasado

Atividade

Pergunte ao seu colega quais são os lugares mais interessantes de seu país. Escreva sobre eles.

____
____
____
____

Possessivos: dele - deles dela - delas

Viagem de Pedro.	Viagem de Sandra.	Viagem de Pedro e Sandra.
Viagem dele.	Viagem dela.	Viagem deles.

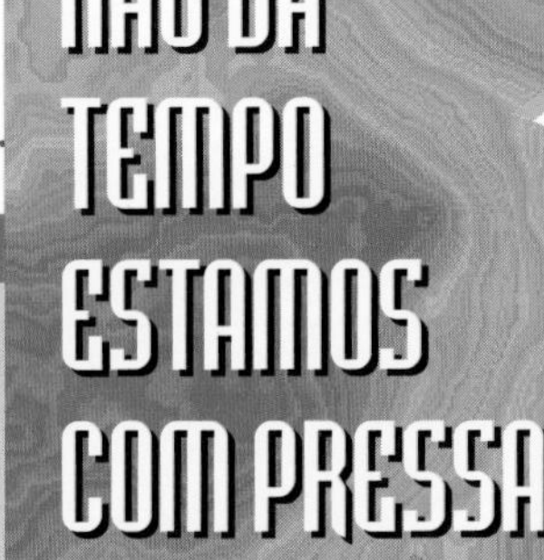

NO RESTAURANTE

Pedro: *Por favor, uma mesa para duas pessoas.*
Garçom: *Pois não. O senhor prefere* **esta** *aqui, perto da porta, ou* **aquela** *ali, perto da janela?*
Pedro: *O que você acha?*
Alice: **Aquela** *perto da janela.*
Pedro: *O que você quer beber?*
Alice: *Vinho tinto.*
Pedro: *Eu prefiro branco.*
Garçom: *Aqui está o cardápio. Os senhores gostariam de um aperitivo?*
Pedro: *Não dá tempo. Estamos com pressa. Queremos somente almoçar.*
Alice: *Eu gostaria de comer arroz, salada mista e frango.*
Pedro: *Eu quero espaguete.*
Garçom: *Pois não.*

vinho tinto

vinho branco

Depois de trinta minutos:

Pedro: *Garçom, a conta por favor.*
Garçom: *Pois não.*
Pedro: **Este** *restaurante aceita cartão de crédito?*
Garçom: *Sim.*
Pedro: *Então, prefiro pagar com cartão.*
Garçom: *Pois não.*

salada mista

DISCUSSÃO

Normalmente, quem paga a conta, num restaurante, quando almoçam:

a. dois amigos

b. dois casais de namorados

c. vários amigos

Como agradecer

– Obrigado.
Estou satisfeito.
– Obrigada.
Estou satisfeita.

DIVERTIMENTOS

FESTAS
na casa de amigos
no clube

VIAGENS
sozinho
com amigos
com parentes

CINEMA
filmes de horror
comédia
ficção científica
drama

Complete com o verbo *ser* usando o pretérito perfeito do indicativo:
No ano passado, o sr. Carlos Martins ____________ presidente do Clube Três Marias. O Sr. Alfredo Lima e o Sr. Mário Silva ____________ diretores sociais. Minha esposa e eu ____________ conselheiros do Departamento de Esportes e Promoções.

Algumas vezes, é possível receber um convite para uma festa com a seguinte observação: ***RSVP.*** Neste caso, o que é necessário fazer?

____

CLUBE CRUZEIRO DO SUL
GRANDE BAILE: DIA 5 DE ABRIL
INÍCIO: 22:00 HORAS
TRAJE: PASSEIO COMPLETO
RESERVAS DE MESA: FONE 222-0101

Atividade

Escreva um convite para uma festa.

Trajes

esporte

a rigor

passeio completo

VERDADE OU MENTIRA?

Verdade

A personalidade interfere na saúde do coração?
Pessoas muito competitivas são candidatas potenciais aos males do coração.

Mentira

Quanto mais exercício, melhor?
Não. O condicionamento físico melhora com duas sessões semanais de 45 a 60 minutos. A terceira sessão aumenta a massa e a força muscular. Acima de três, serve apenas para manter o condicionamento.

Em Termos

Tomar vinho faz bem ao coração?
Desde que o consumo seja moderado, ele favorece a saúde, pois uma substância presente na casca da uva diminui o mau colesterol.

Fonte: Revista Principal, Nº 1

Atividade

A seu ver, que outros fatores podem contribuir para agravar os problemas do coração?

____

QUEM É?

Pergunte ao seu colega se ele conhece uma pessoa pública (político, ator, atriz, cantor, cantora, jogador de futebol, atleta) que:

- **é supertenso**
- **é competitivo**
- **é ambicioso**
- **é agressivo**
- **é convencido**
- **é independente**
- **é muito curioso**
- **é briguento**
- **nunca se irrita com pequenas coisas**
- **fica irritado quando alguém se atrasa**
- **sempre pede ajuda quando precisa**
- **está sempre de bom humor**
- **está sempre com fome**
- **prefere fazer ginástica a ficar sentado**
- **está sempre zangado**
- **sempre chega adiantado**

ESTE ÔNIBUS PASSA PELO CENTRO?

NO PONTO DE ÔNIBUS

Carla e Ivo estão na fila do ponto de ônibus.

Carla: Mas o Expresso **demora** muito.
Ivo: Eu sei. Mas é necessário.
Carla: Quero tomar o ônibus Vista Alegre. Ele **não demora** muito. Sempre tem um **de** quinze **em** quinze minutos.
Ivo: Para mim **não dá.** Preciso ir para o centro.

Observe

Preposição *por + artigo*

a avenida	**pela** avenida
o centro	**pelo** centro
a rua	**pela** rua
o viaduto	**pelo** viaduto
o túnel	**pelo** túnel

12 3 6 9

QUE DEMORA!

*O Expresso demora muito. Ele vem **de** meia **em** meia hora.*

subir no **ônibus**

ATENÇÃO

descer do **ônibus**

SUA OPINIÃO

O que você acha do sistema de transporte de sua cidade?
O que poderia melhorar?
Que problemas os deficientes físicos enfrentam quando precisam usar o transporte coletivo?

O QUE VOCÊ SABE FAZER?

ESPORTES

O que é necessário para:

escalar montanhas?

saltar de pára-quedas?

andar a cavalo?

Onde é possível esquiar na América do Sul?

____

– Você sabe?
– Sim, sei.
– Não, não sei.

Você sabe:

falar inglês? _______________
dirigir caminhão? _______________
cozinhar? _______________
consertar televisão? _______________
andar a cavalo? _______________
consertar móveis? _______________
trocar pneus? _______________

Atividades

1. Escreva:
   a. três coisas que você sabe fazer muito bem
   b. uma que você sabe fazer mais ou menos
   c. uma que você gostaria de fazer muito bem

2. Ensine, ao grupo, algo que você saiba fazer muito bem. É possível?

ESTÁ MUITO QUENTE. VAMOS TOMAR UM SORVETE?

NO ZOOLÓGICO

Ontem, João e Ana quiseram visitar o zoológico.

João: *Gosto muito de animais.*

Ana: *Eu também.*

João: *Olhe! Aquela girafa! Que linda!*

Ana: *Sim. Ela é muito bonita. Você sabe que o pescoço de uma girafa tem sete ossos?*

João: *Sei, sim. Olhe! Os camelos estão naquele lado, à esquerda.*

Ana: *Vamos lá?*

João: *Claro. Vamos.*

Ana: *Você sabe que um camelo pode beber 120 litros de água em 10 minutos?*

João: *Não diga! Eu não sabia.*

Ana: *Agora, quero olhar os tigres. Mas antes, eu gostaria de tomar um sorvete. Está muito quente.*

João: *Boa idéia. Ali, na entrada do zoológico, à direita, tem uma sorveteria.*

Ana: *Eu quero um sorvete de limão. E você?*

João: *Eu quero de abacaxi.*

o pescoço

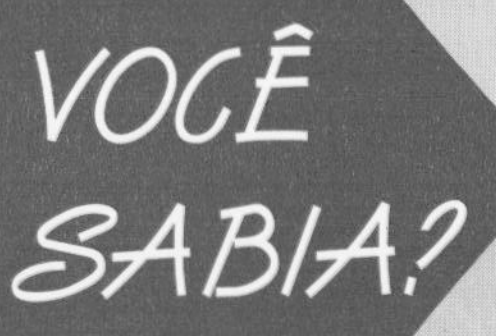

A primeira fábrica de sorvete foi feita nos Estados Unidos, em 1851. No Brasil, a primeira sorveteria foi inaugurada em 1835, por um italiano chamado Basili, no Rio de Janeiro.

Você, com certeza, já visitou um zoológico.

Quais foram os animais mais interessantes que você viu? Você teve medo?

Que animal gosta de roer osso? (   ) elefante   (   ) cachorro   (   ) coelho

nh

galinha
dinheiro
ninho
minhoca
nenhum

a cegonha

aranha
banho
rainha
sonho
unha

lh

filho
coelho
velho
velhice

o galho

palha
gatilho
malha
filha

r

rei
rima
rotina
rua
rural

o raio

rifa
roleta
rumo
rubi
relevo

rr

cachorro
corrente
arrumar
erro

a corrente

ferro
empurrar
carro
corrida

ça, ço, çu, ção (som de s)

aço
caçar
dançar
endereço
moça

o coração

força
pedaço
ação
descrição
Iguaçu

REVISÃO

Complete com o pronome correto:

O contrário de pesado é leve.

FOCALIZAÇÃO
Verbo *saber* - irregular
Modo indicativo

saber

	presente
eu	sei
ele - ela - você	sabe
nós	sabemos
eles - elas - vocês	sabem

imperativo: saiba

FOCALIZAÇÃO
Pronomes demonstrativos

SINGULAR	*PLURAL*
este	*estes*
esse	*esses*
esta	*estas*
essa	*essas*
isto	—
isso	—
aquele	*aqueles*
aquela	*aquelas*
aquilo	—

QUAL DELES? QUAL DELAS?

Complete o diálogo:

– Quero emprestar uma caneta.
– Qual delas? Esta azul ou ___________ vermelha?
– Prefiro ___________. Obrigado.
– Ora, de nada.

***Complete os diálogos usando* pelo, pela *ou* por:**

João: *Preciso ir para o centro.*
Ana: *O ônibus Expresso passa ________ centro.*
João: *Eu sei. Mas ele demora muito.*

DIÁLOGO

– Ontem nós jogamos boliche.
– E você fez muitos pontos?
– Não. Ontem eu quase não acertei nenhuma jogada.
Eu ainda não jogo muito bem, mas estou aprendendo.
– Boa sorte.

ATIVIDADE

Pergunte ao seu colega:

a. o que ele sabe jogar muito bem.

b. se foi necessário fazer um curso para aprender a jogar.

PRATICANDO

1. Eu sei jogar boliche, mas Ana não _____________

2. Nós sabemos jogar bilhar, mas Carlos não _____________

3. Eles sabem fazer lasanha, mas eu não _____________

4. Vocês sabem tocar guitarra, mas eles não _____________

POR FAVOR, PODERIA ME DIZER ONDE ESTÁ O BALDE?

No supermercado você quer comprar:
- *um liquidificador*
- *uma batedeira*
- *um balde*
- *um ferro elétrico*

liquificador

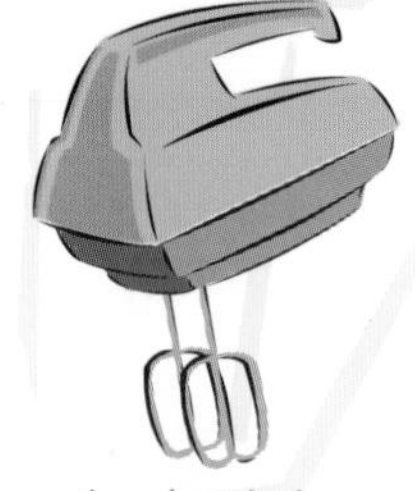
batedeira

balde

ferro elétrico

Mas... você procura, procura e não acha. Então, decide perguntar a um dos funcionários. Como vai perguntar?

____

____

Dos itens abaixo, o que você não compraria numa farmácia?

( ) bronzeador ( ) caixa de cotonetes ( ) vidro de esmalte ( ) lixa de unhas
( ) pacote de algodão ( ) vidro de acetona ( ) espremedor de limão ( ) cera

Onde você pode comprar:

refrigerante? ______________
água? ______________
suco? ______________
vinho? ______________
creme dental? ______________
vinagre? ______________
álcool? ______________
geléia? ______________
azeitonas? ______________
cogumelos? ______________
leite? ______________
sabão em pó? ______________
café em pó? ______________
café solúvel? ______________
cogumelos? ______________
macarrão? ______________

OBSERVE AS EMBALAGENS

em garrafão

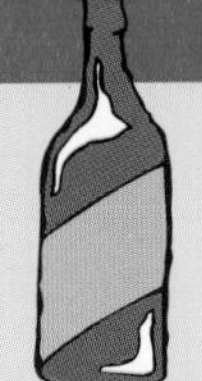
em garrafa

em latinha

em tubo

em pacote

em caixa

em vidro

Complete:

Chá e café eu sirvo no bule. Mas suco sempre sirvo na ______________

Garrafa térmica serve para ______________

– Onde está a toalha vermelha?
– Ela está no meio da mesa.

– Onde está a colher?
– Ela está dentro da travessa.

– Onde está a forma?
– Ela está embaixo do rolo.

– Onde está a travessa?
– Ela está em cima da toalha vermelha.

– Onde estão as uvas?
– Elas estão na frente da garrafa.

– Onde está o copo?
– Ele está ao lado da garrafa.

– Onde está a garrafa?
– Ela está atrás das uvas.

– Onde estão os biscoitos?
– Os biscoitos estão dentro da caixa, mas um deles está fora.

ADVÉRBIOS		
	dentro	de...
	fora	do...
	na frente	da...
	atrás	dos...
	no meio	das...
	ao lado	daquele/s...
	em cima	daquela/s...
	embaixo	daquilo
		dele/s
		dela/s

Atividade

Formem pares e, com os objetos da sala de aula, façam frases usando os advérbios de lugar ao lado.

DEVE SER DIFÍCIL

ESPERANDO NA FILA DO CINEMA

Complete o diálogo:

– Este filme é muito bom.
*– Sim. Ele está **em cartaz** há três semanas.*
*– Na semana passada, eu **quis** assistir a este filme. Mas não ______ possível.*
– Que coincidência! Eu também __________, mas não deu.
– O que você faz?
– Eu sou estudante. E você?
– Eu _______ bancário e estudante. Trabalho de dia e estudo à noite.
*– Nossa! **Deve ser difícil!***
– É, sim. Às vezes, fico muito cansado.
– Imagino!
– Veja! Finalmente a bilheteria __________.
– Que sorte. Vamos! Veja como a fila _______ enorme.
– Ainda bem que a gente chegou cedo.

– Trabalho de dia e estudo à noite.
– Deve ser difícil.

Escreva três coisas que **"devem ser difíceis"**:

____
____
____

Escreva duas coisas que **"devem ser fáceis"**:

____
____

Quantas vezes por mês você vai ao cinema?

____

Escreva os nomes de dois filmes que estão em cartaz.

____
____

O que você acha do preço das entradas? Varia de cinema para cinema?

____

A VINGANÇA
DRAMA
Direção: Carlos do Amaral
Elenco: Patrícia Almeida
Beatriz Fortes
Carlos Lima

PRONÚNCIA

fácil ***fáceis***
difícil ***difíceis***

Observe

uma vez
duas vezes
três vezes
várias vezes
às vezes
algumas vezes
de vez em quando

QUE SUJEIRA!

Luís chega da escola e está com sede.
Ele precisa tomar água.

Zezinho chega do jogo de futebol.
Ele precisa tomar banho.

Como as crianças costumam deixar os quartos bagunçados! Quem deve colocá-los em ordem?

o sabonete

a saboneteira

COMUNICAÇÃO **Que ______________ !**

Que sede!
Que sujeira!
Que fome!
Que delícia!
Que barato!
Que caro!
Que bonito!
Que feio!

Que comentário você faria ao ver objetos fora do lugar?

Que chato!
Que interessante!
Que bagunça!
Que desordem!
Que confusão!
Que capricho!
Que legal!
Que incrível!

REVISÃO

Responda:

1. Quantas vezes, por semana, você vai ao concerto?

____

2. Quantas vezes, por ano, você vai ao dentista?

____

por minuto - por dia - por semana - por mês - por ano

O coração bate setenta vezes por minuto. Nos recém-nascidos, ele bate cento e vinte vezes por minuto.

Faça a pergunta:

____

____

____

____________________?

Ele bate 70 vezes por minuto.

Este recém-nascido pesa 4.5 quilos. Ele é muito pesado.

Quem acabou de nascer é *recém-nascido*.

Quem acabou de chegar é ____________________

Quem acabou de se casar é ____________________

O bebê **acabou de** nascer.

Informação

O bebê Jack Strenkert, com apenas 17 meses, pesava 31,75 kg, o equivalente ao peso de uma criança entre os seis e os quatorze anos de idade. Os pais são de Nova York.

O que você diria ao assistir a estas apresentações?

MINHA CUNHADA ESTÁ GRÁVIDA

Complete o texto de acordo com os verbos indicados:

Meu irmão ____ (ser) casado. Ele e sua esposa __________ (morar) no interior. Atualmente, os dois ________________ (trabalhar) num restaurante vegetariano. Ele ____ (ser) gerente e ela ____ (ser) nutricionista. Nós __________ (estar) muito felizes porque Elizabete, minha cunhada, ________ (estar) grávida.
Meu sobrinho ________________ (nascer) em setembro.
A casa deles _____________ (ficar) num bairro muito sossegado e com muitas árvores. Eles _________ (ser) muito felizes.

Descreva o dia-a-dia de uma criança:
rotinas
hábitos
manias
teimosias

____
____
____
____
____

____
____
____
____
____
____
____
____
____
____

Oralmente, conjugue os seguintes verbos no pretérito perfeito do indicativo:

- levar
- pegar
- buscar
- deixar
- emprestar
- estacionar
- engraxar
- encerar
- lustrar
- lavar
- enxaguar
- pendurar

Complete usando o pretérito perfeito do indicativo:

1. Ontem eu ___________(deixar) duas calças na lavanderia
2. Eles ___________(estacionar) o carro na vaga n°5 da garagem
3. Eu já ___________(pegar) as fotografias que mandei revelar.
4. Os meninos _____________(engraxar) os sapatos.
5. Os frentistas já ____________(encerar) alguns carros.
6. Minha empregada ainda não________(encerar) a sala.
7. Minha filha já __________(enxaguar) algumas roupas.
8. Minhas amigas__________(pendurar) as roupas no varal.
9. Meus filhos ___________(ilustrar) os sapatos.

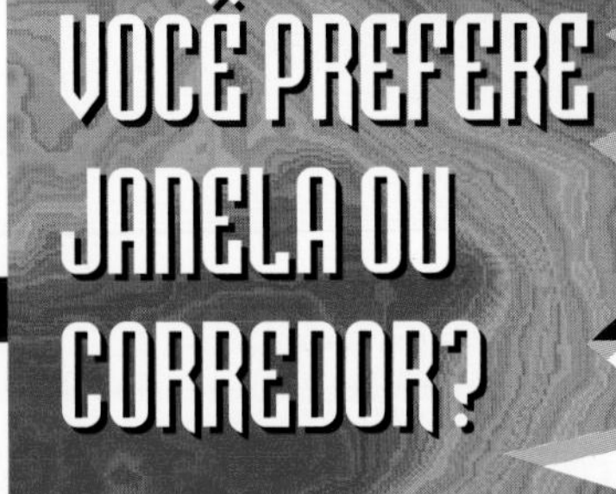

VIAJANDO DE ÔNIBUS

– Preciso viajar para São Paulo.
– Como você vai?
– Vou ***de ônibus****.*

Poltrona nº 22
Portão de embarque: G
Portão de desembarque: E

COMPRANDO A PASSAGEM

– Por favor, quero um bilhete para São Paulo.
– A que horas?
– Quais são os horários com saída à tarde?
– Às quatorze e às dezesseis horas.
– Prefiro às dezesseis horas.
– Janela ou corredor?
– Prefiro janela.
– A que horas tem o ônibus leito?
– Somente à noite, às vinte horas.
– Gostaria de pagar com cartão de crédito.
– Pois não.

HORÁRIOS

SAÍDA	*CHEGADA*
14:00	*20:00*
16:00	*22:00*

Tipos de ônibus
1. *convencional*
2. *executivo*
3. *leito*

1. Você prefere viajar de dia ou à noite?

____

____

2. Quais são as vantagens?

____

____

FOCALIZAÇÃO

Verbo *ir* - irregular
Modo indicativo

ir

	presente
eu	**vou**
ele - ela - você	**vai**
nós	**vamos**
eles - elas - vocês	**vão**

imperativo: vá

REVISÃO

Oralmente, conjugue os verbos abaixo no pretérito perfeito:

- emprestar
- começar
- almoçar
- olhar
- chegar
- terminar
- jantar
- viajar

Onde Carlos passa as férias?

Ele sempre passa as férias na Bahia.

Complete:

1. Ele falou bem,
   mas elas não ______________________
2. Ela tomou suco,
   mas eles não ______________________
3. Ela usou chapéu,
   mas eles não ______________________
4. Ele comprou a rede,
   mas vocês não ______________________
5. Você descansou muito,
   mas elas não ______________________

Normalmente, o que os veranistas levam para a praia?

____

____

Onde você e sua família passaram as últimas férias? ______________________

Por quê? ______________________

Onde se hospedaram? ______________________

Como eram as instalações? ______________________

Por que é desaconselhável tomar sol das 10:00 às 15:00 horas?

____

O que é necessário fazer para evitar queimaduras?

____

____

CAFÉ OU SUCO?

Complete os espaços vazios:

Ana: *Veja! O carro de José está ali.*
Maria: *Mas ele não* ______________
Ana: *Gosto do carro dele. É muito bonito.*
Maria: *É novinho em folha.*
Ana: *Olhe! O José está ali na lanchonete. Vamos até lá!*
Maria: ______________________________
As duas se aproximam e José as convida para sentar e fazer um lanche
José: *Vocês gostariam de comer ou tomar alguma coisa?*
Ana: *Eu* ________ *somente um café preto.*
Maria: *Eu* ________ *um suco de melão e uma coxinha.*
José: *Ana, somente café? Nem salgadinhos, nem docinhos?*
Ana: *Não, obrigada*

biscoitos de polvilho com amendoim

FOCALIZAÇÃO
pronomes possessivos

masculino singular	***masculino plural***
meu	**meus**
seu	**seus**
nosso	**nossos**
seu	**seus**

feminino singular	***feminino plural***
minha	**minhas**
sua	**suas**
nossa	**nossas**
sua	**suas**

Complete com os pronomes possessivos:

1. *Onde está a* _________ *mala?*
2. *Quem pegou as* __________ *canetas?*
3. *Onde você estacionou o* _________ *carro?*
4. *Esta é* ___________ *esposa?*
5. *Estes são os* ___________ *filhos?*
6. *Nós deixamos o* ___________ *filho na escola.*
7. *Nós emprestamos a* __________ *casa da praia para Alice.*
8. *A* ________ *perna dói muito.*

Complete com* dele, deles, dela *ou* delas*:

1. *Não emprestei o carro de Maria.*
   Não ____________________________________
2. *As crianças de Pedro e Ana são felizes.*
   As _____________________________________

dele/s **dela/s**

Observe

Carro de João.
Gosto do carro **dele**.
O **seu** carro é bonito.

O que você prefere comer num lanche?

Bolos, tortas, empadões, folhados, croquetes, empadinhas ou coxinhas?

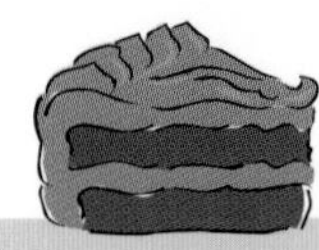

M ou N?

Coloca-se **m** antes de **p** e **b**:
ambos - bomba - computador - vampiro

Complete:

1. ju___bo
2. po___ba
3. ra___pa
4. ru___ba
5. sa___ba
6. fu___do
7. i___veja
8. pâ___tano
9. po___te
10. co___certo

A ta___pa está em cima da panela.

Separe em sílabas:

1. aranha	a - ra - nha
2. cozinha	________
3. armarinho	________
4. campanha	________
5. nenhum	________

1. folha	fo - lha
2. espelho	________
3. filho	________
4. filhinha	________
5. folhinha	________

1. nascer	nas - cer
2. descer	________
3. crescer	________
4. florescer	________
5. nascimento	________

1. queijo	quei - jo
2. peixe	________
3. banheira	________
4. roseira	________
5. torneira	________

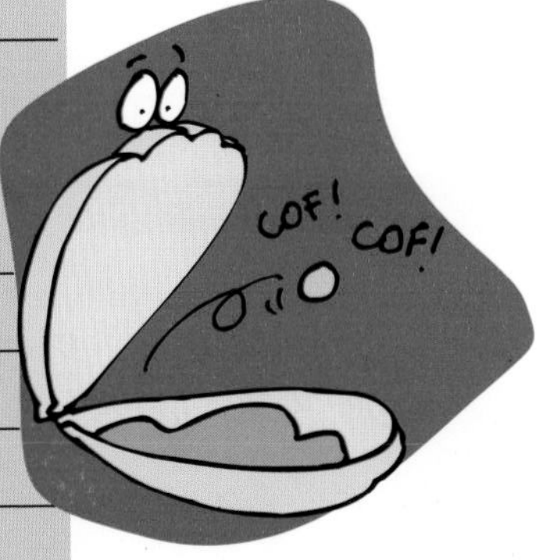

1. concha	con - cha
2. onda	________
3. sondar	________
4. fundo	________
5. profundo	________
6. contente	________

1. chapéu	cha - péu
2. véu	________
3. céu	________
4. papel	________
5. coronel	________
6. anel	________

VOCÊ TOCA VIOLÃO?

Complete o diálogo:

– O que você faz depois ______ aula?
– Eu __________ futebol. E você?
– Estudo música.
– Que instrumento você toca?
– Eu _________ violão. Hoje vou ensaiar para uma apresentação no clube no próximo sábado. Você gostaria ______ ir?
– Claro. Onde posso comprar o convite?
– Não ______ necessário. Eu posso conseguir dois convites _________ você.
– Legal, obrigado.

Quando você disca um número errado, você diz:
( ) Obrigado pela informação.
( ) Desculpe, foi engano.
( ) O número trocou?

Os sinos tocam?

____

O telefone toca?

____

jogar fora

– Que pena! O espelho quebrou.
– Então, jogue fora.

– Este espelho está bom.
– Então, não jogue fora.

É possível jogar fora:
( ) frutas verdes ( ) frutas maduras ( ) frutas podres

Com a ajuda de seu colega, complete o diálogo abaixo:
– Hoje foi um dia puxado!
– O que você fez?
– Eu ________________________

SUA OPINIÃO
As crianças devem ter muitas atividades durante o dia?

____

Explique seu ponto de vista.

Ponha o diálogo em ordem:
– ______________________________
– ______________________________
– ______________________________
– ______________________________

MANDEI CONSERTAR A POLTRONA

MANDAR

– Você já mandou a carta?
– Sim, há pouco.
– Simples ou registrada?
– Simples.

– Onde estão meus sapatos pretos?
– Mandei consertar.

– Onde está o seu carro?
– Mandei lavar.
– No posto ou no Lava Rápido?
– No Lava Rápido.

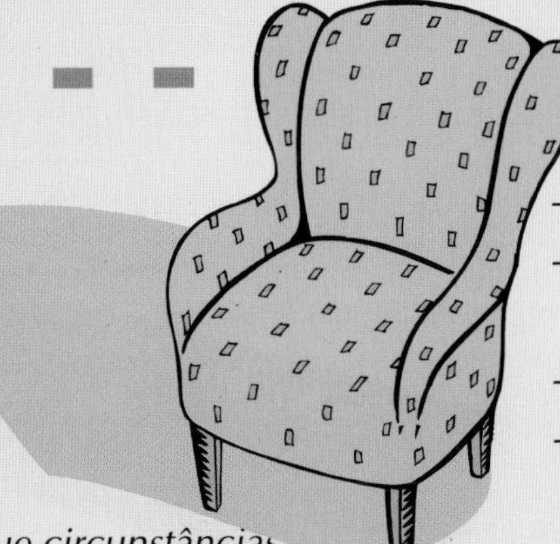

Em que circunstâncias vale a pena reformar móveis?

Complete:

– Onde está minha poltrona?
– Oh, desculpe. Eu _______ (esquecer) de lhe dizer. Ontem mesmo eu _________ (mandar) trocar o tecido.
– Onde?
– Na mesma loja onde nós ___________ (comprar) os móveis no ano passado.
– E quando vai ficar pronta?
– Depois de amanhã.

Procure no dicionário os significados de adiantar.

Complete:

– Você tomou o xarope para dor de garganta?
– Tomei.
– Adiantou?
– Sim, _____________________________

– Aonde você vai?
– Falar com o pai de Paulinho. Ele sempre joga a bola de futebol em cima das minhas plantas.
– Acho que não _________________
– Por quê?
– Ontem mesmo eu vi os dois jogando futebol e, por várias vezes, chutaram a bola em cima das suas plantas.
– Vou falar assim mesmo. Que desaforo!

REVISÃO

Convite

Convide seu amigo para:

jantar
almoçar
fazer um lanche
dar uma caminhada
ir ao cinema

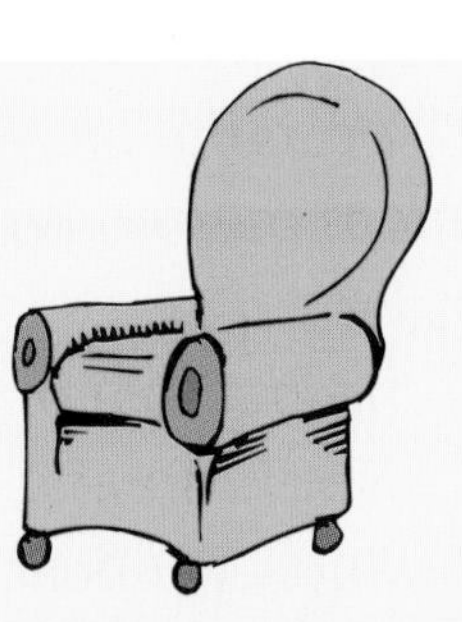

O que você joga fora? ____________________

Superstição: espelho quebrado traz sete anos de azar.

Para os supersticiosos, o que significam?

uma ferradura

____

um pé de coelho

____

um trevo

____

Complete com o pretérito perfeito do indicativo:

– Adiantou fazer a cirurgia?
– Sim, ____________

– Adiantou reclamar do barulho?
– Não, não ____________

– Adiantou tomar o remédio?
– Sim, ____________

DE QUEM É ESTA MÚSICA?

Complete o diálogo abaixo:
Num barzinho, no centro.

Paulo: *Oi, tudo bem?*
Luís: ___________________
Paulo: *Sente-se. Você gostaria de tomar alguma coisa?*
Luís: *Sim.* ____.
Paulo: *Espere! Ouça esta música.*
Luís: *De quem é?*
Paulo: *É de Claúdia Maria. Chama-se Ilusão e está no seu novo CD.*
Luís: ____.
Paulo: *Eu sou seu fã há muito tempo.*
Luís: ____.
Paulo: *No próximo sábado ela vai fazer um show no teatro. Minha irmã e eu já compramos os ingressos.*
Luís: *Posso ir com vocês?*
Paulo: *Claro! Eu ia mesmo* ____________________________. *Vai ser um prazer. Mas é melhor você comprar seu ingresso com antecedência.*
Luís: *Obrigado pela dica.*

ATIVIDADES PARA SE DISTRAIR

- ***ir ao cinema***
- ***ir ao teatro***
- ***ir à festas***
- ***visitar amigos***
- ***assistir à televisão***
- ***ler***
- ***escrever cartas***
- ***ouvir música***
- ***jogar cartas***
- ***estudar música***

Complete com *num* ou *numa*:

________ rua
________ loja
________ bar
________ banco

PRATICANDO

de Maria -	dela
de João -	__________
de Júlio e Pedro -	__________
de Maria e Ana -	__________
E de Paulo e de Ana?	**deles**

Previsão do tempo para amanhã

No norte:
dia chuvoso

No sul:
dia ensolarado

Pergunte ao seu colega que atividades ele prefere fazer:

a. num feriado ensolarado
b. num feriadão chuvoso

ELE TEM VÍCIOS?

Nome:	*José de Lima*
Idade:	*50*
Nacionalidade:	*Brasileira*
Vícios:	*Gosta de fumar*
Estado civil:	*Casado*
Profissão:	*Advogado*
Filhos:	*Três*
Feriado favorito:	*Independência*
Passatempo:	*Jogar cartas*
Não gosta de:	*Futebol*
Gosta de passar as férias em:	*Búzios*

a caixa de fósforos

o isqueiro

FOCALIZAÇÃO
Verbo *ter* - irregular
Modo indicativo

ter

	presente	pretérito perfeito
eu	tenho	tive
ele - ela - você	tem	teve
nós	temos	tivemos
eles - elas - vocês	têm	tiveram

imperativo: tenha

Atividades

1. Escreva dois vícios. O que é necessário fazer para parar com eles?
2. Escreva três coisas que fazem bem à saúde.
3. Apresente ao grupo.

COMUNICAÇÃO

Pedindo permissão

– ***Você se importa*** *se eu fumar?*
– *Não. Fique à vontade.*
– *Você tem fósforo?*
– *Tenho. Aqui está uma caixa de fósforos.*
– *Obrigado.*
– *De nada.*

ATITUDES

- Pedir licença para fumar.
- Pedir para saber qual é o seu salário.
- Pedir seu número de telefone.
- Pedir para saber quantos anos você tem.

Qual ou quais das atitudes acima você considera "falta de educação"?

____

____

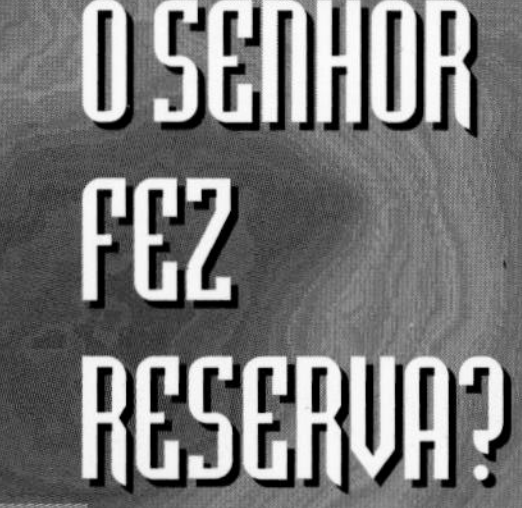

COMPRANDO BILHETE NO AEROPORTO

– Por favor, preciso saber os horários dos vôos para São Paulo.
– Às 10:00, às 12:00, às 14:00 e 16:00 horas.
– Quero viajar às 14:00. É possível?
– Infelizmente, não. Este vôo está lotado. O senhor quer ficar na lista de espera?
– Depende. Será que no vôo das 16:00 horas tem lugar?
– Há somente três lugares.
– Então, vou viajar neste vôo das 16:00 horas. Vou pagar com cartão de crédito.

Centro de São Paulo
RICARDO BENICHIO / ABRIL IMAGENS

SAÍDA	CHEGADA
10:00	10:45
12:00	12:45
14:00	14:45
16:00	16:45

Você viaja de avião?
É NECESSÁRIO FAZER RESERVA COM ANTECEDÊNCIA, SENÃO VOCÊ NÃO VIAJA OU FICA NA LISTA DE ESPERA.

Responda:
Você conhece alguém que não conseguiu viajar porque não fez reserva com antecedência?
O que foi feito para resolver o problema?

RICARDO BENICHIO / ABRIL IMAGENS

Vista de São Paulo a partir da Catedral da Sé

PONTE AÉREA
São Paulo - Rio de Janeiro
Rio de Janeiro - São Paulo

– Hoje viajo para o Rio.
– A que horas?
– Viajo pela ponte das 15:00 horas.
– Você vai a passeio ou a negócios?
– A negócios.
– Faça boa viagem.
– Obrigado.

AMÉRICO VERMELHO / ABRIL IMAGENS

Vista do Cristo Redentor: marca do Rio de Janeiro

Viajar a passeio
Viajar a negócios

VAMOS PRONUNCIAR

avião - limão - chão - irmão - coração

REPETINDO

Eu tenho um irmão e uma irmã.
Ivo tem dois irmãos e duas irmãs.

ALGUÉM PRATICA JUDÔ?

MEXA-SE!

Em artes marciais, como o judô, o caratê e o tae kwon dô, o nível dos atletas é marcado por meio de faixas coloridas. Seguem as cores em ordem crescente:

Judô	***Caratê***	***Tae kwon dô***
branca	branca	branca
azul	amarela	laranja
amarela	vermelha	camuflada
laranja	laranja	verde
verde	verde	roxa
roxa	roxa	azul
marrom	marrom	marrom
preta	preta	vermelha
		vermelha e preta
		preta

1. Qual é sua opinião sobre os cursos de defesa pessoal?

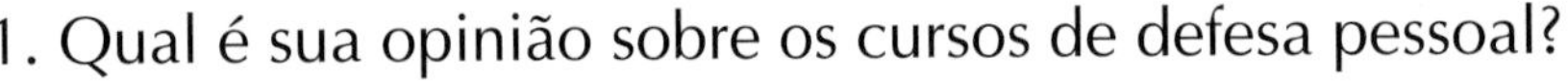

2. Dê dois exemplos de esportes que apresentam grandes riscos.

PERIGO NO ESPORTE

A relação entre as mortes e o número de praticantes:

Vôo livre	*1 para*	*93*
Boxe	*1 para*	*6.304*
Canoagem	*1 para*	*17.784*

O futebol é o esporte mais popular do mundo.
É praticado por mais de 200 milhões de pessoas em 190 países.
Mas o esporte mais popular na Coréia do Sul é o tae kwon dô.

Fonte: Guia dos Curiosos, 5ª edição, Companhia das Letras.

REVISÃO

Responda:

1. O que você faz, freqüentemente, aos sábados?

____

2. Qual é o seu dia da semana mais ocupado?

____

3. Que dia você faz compras no supermercado?

____

– O que você gosta de fazer aos domingos?
– Nada. Aos domingos sempre fico de papo pro ar.

Complete a conversação:

– *Quanto tempo! Você está em ótima forma.*
– *Você também. O que você faz?*
– *Faço ginástica três vezes ______ semana. E você?*
– *Faço aeróbica quatro vezes ______ semana.*

QUE MAL-EDUCADO!

Carlos e Pedro se encontram no centro:

– *Pedro! Há quanto tempo, hein?*
– *Carlos! Você está muito bem. Faz ginástica?*
– *Eu malho na academia três vezes por semana. Mas você, que barriga, hein?*

A seu ver:

( ) é melhor elogiar sempre os amigos
( ) de vez em quando, é bom falar a verdade

Alguém é mal-educado quando _______________________________________

____

____

NÃO DEIXE SUAS COMPRAS PARA A ÚLTIMA HORA

SUAS COMPRAS PODEM SER FEITAS ATRAVÉS DO TELEVENDAS OU EM QUALQUER UMA DE NOSSAS LOJAS.

Se preferir consulte www.lojascentrais.com.br

NÃO DEIXE PARA A VÉSPERA
LIGUE AGORA MESMO

TORRADEIRA
De R$ 85,00
Por R$ 70,00
ou 2 x R$ 40,00

BALDE PARA GELO/ BEBIDAS
vários tamanhos
Desde R$ 14,00

Uma pechincha
Estoque limitado: somente 300 unidades

CAFETEIRA
De R$ 150,00
Por R$ 130,00
ou 2 x R$ 70,00

TELEVENDAS
DISK JÁ (0800) 19-5136

Aproveite e peça o catálogo.
Conheça nossa variedade de produtos.
Tudo para você e seu lar.

Preços totais incluindo impostos, e frete para a grande São Paulo.

ACEITAMOS TODOS OS CARTÕES DE CRÉDITO

Por que é necessário exigir nota fiscal?

____

Qual a diferença entre nota fiscal de compra e nota fiscal de serviços?

____

Que linhas de produtos é possível comprar através do televendas?

____

____

Você conhece alguém que teve problemas com produtos através deste sistema de vendas?

____

____

Como foi resolvido o problema?

____

Quais são as garantias do cliente?

____

____

EU VOU DE METRÔ

EM BARCELONA

Você já esteve em Barcelona, na Espanha?

Temperatura: No verão, o clima é muito parecido com o do Brasil. A temperatura chega fácil aos 32 graus.

No inverno, não chega a nevar, mas pode fazer muito frio.

É também nessa época que chove muito.

Como chegar: A VASP é a única companhia que tem vôos diretos para lá, com saída às segundas e sextas.

Outra opção é a Ibéria que faz escala em Madri e só não tem vôos às segundas.

Passagem de Metrô: 1 US$.

Catedral de Barcelona: uma das atrações turísticas da cidade

ATENÇÃO

a cavalo

a pé

FUSO HORÁRIO

Na maior parte do ano, o fuso horário é de 4 horas em relação a Brasília. Na época do horário brasileiro de verão, a diferença diminui para 3 horas.

A maioria dos vôos do Brasil para Barcelona são noturnos. Se você não consegue dormir no avião, o fuso não atrapalha muito.

Quando você chega de uma viagem que levou muitas horas, você diz:

( ) Estou muito disposto.

( ) Estou caindo aos pedaços.

( ) Gostaria de dormir um pouco.

Fonte: Revista Viagem, Editora Azul, Abril/1997.

COMO APROVEITAR MAIS?

Para aproveitar ao máximo uma viagem, que providências você toma?

____

Ao chegar numa cidade, você acha mais prático utilizar os serviços de uma agência de turismo ou alugar um carro? ________________

Que lugares você aproveita mais se fizer um passeio a pé? ________________

____

VOCÊ SABE ONDE ESTÃO MINHAS COISAS?

CADÊ?

– Lúcia, você sabe onde está **minha** toalha?
– Claro! Está pendurada ali. Você não viu?
– Não. Ela está limpa?
– Naturalmente. As toalhas sujas já estão no cesto de roupas sujas.

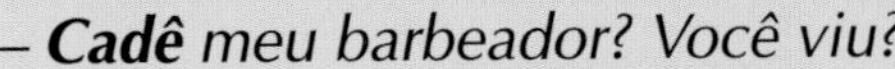
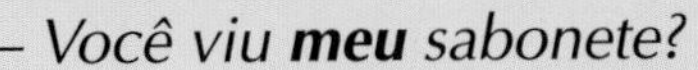

– **Cadê** meu barbeador? Você viu?
– **Qual** deles?
– **O novo**. Não gosto do velho.
– Vi. Ele está no armário do lado direito.

– Você viu **meu** sabonete?
– Vi.
– Onde está?
– Na saboneteira.

sabonete
saboneteira

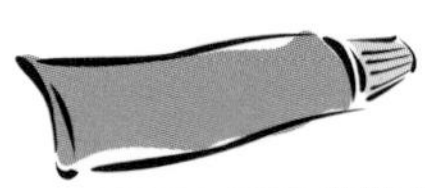

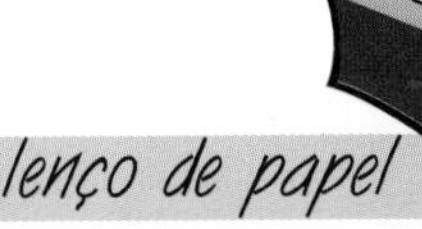

GOSTAR DE

GOSTAR: ELE ELA ELES ELAS

gostar dele

gostar dela

gostar deles

gostar delas

Passe para o negativo:

1. Eu gosto dele. ____________________
2. Ele gosta dela. ____________________
3. Você gosta deles. ____________________
4. Você gosta delas. ____________________

Com que objetos é possível rasgar uma roupa?

( ) com uma garrafa plástica de refrigerante
( ) com um pedaço de arame
( ) com um prego
( ) com um guardanapo de papel

De que você não gosta?

( ) Roupas rasgadas.
( ) Roupas malpassadas.
( ) Roupas remendadas.
( ) Roupas extravagantes.

DIÁLOGO

– *O que você fez ontem?*
– ***Fiquei*** *em casa. E você?*
– *Eu fui ao cinema.*
Eu não ***agüento*** *ficar em casa* ***aos domingos****.*

Você agüenta:
( ) latidos de cachorro?
( ) barulho à noite?
( ) tomar sol na praia por mais de quinze minutos?

agüentar = tolerar

Complete com o verbo ficar:

1. Aos domingos, às vezes, eu _________ em casa.
2. Minha casa _________ longe daqui.
3. Meu apartamento ________ no décimo andar.
4. Ontem meu filho _________ contente porque ganhou uma bicicleta.
5. Ontem nós ___________ felizes com a visita de Pedro e Clara.

– Você já secou o cabelo?
– Sim, _______________

– Verificou o trabalho?
– Sim, _______________

– Sacou o dinheiro?
– Não, não ___________

FOCALIZAÇÃO

Verbo *ficar* - regular
Modo indicativo

ficar

	presente	pretérito perfeito
eu	fico	**fiquei**
ele - ela - você	**fica**	**ficou**
nós	**ficamos**	**ficamos**
eles - elas - vocês	**ficam**	**ficaram**

imperativo: fique

FICAR A

– Onde fica o posto de gasolina?
– __________ dois quilômetros daqui.

- Onde fica o restaurante?
– __________ uns quarenta metros do posto de gasolina.

– Onde fica a fábrica?
– __________ quinhentos metros da rodovia.

– Onde fica sua casa?
– __________ quatro quilômetros do centro.

REVISÃO

Viajei.

Como foi a viagem?

Você viajou?

Como?

De trem.

A viagem foi fascinante. Cheia de surpresas.

Ponha o diálogo em ordem:

1. ______________________________
2. ______________________________
3. ______________________________
4. ______________________________
5. ______________________________
6. ______________________________

Quem pendurou a rede?

Eu mesmo.

O que mais é possível pendurar?

____

____

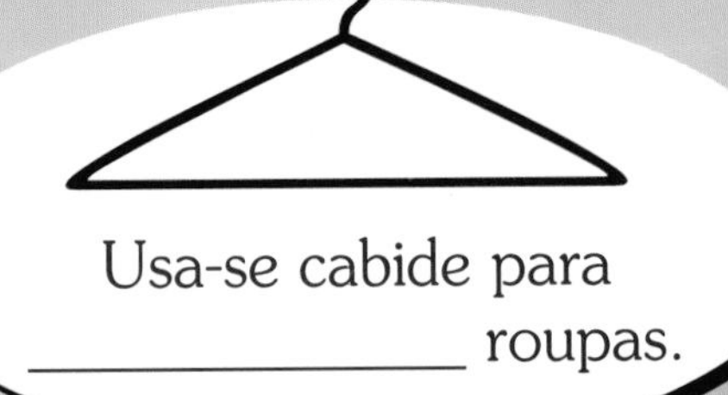

Usa-se cabide para ______________ roupas.

Complete o diálogo:

– Como ______ (ser) o seu fim de semana?

– ______ muito bom.

– De manhã, nós ________ (andar) no parque.

– Nós?

– Sim. Eu e minha irmã do meio.

– E à tarde?

– À tarde eu ___________ (convidar) alguns amigos para __________ (jogar) xadrez. ______________ (ganhar) todas as partidas.

Quais são os seus jogos favoritos?

____

____

____

Escolha um deles e explique como jogar.

QUEM VOCÊ CONHECE?

– Você conhece um bom marceneiro? É necessário consertar uma janela da minha casa na chácara.
– Eu conheço, sim.
Ele mora perto da minha casa. Vou lhe dar o número do telefone.
Ele se chama seu Pedro.
– Obrigado.

– Vocês conhecem um pedreiro?
– Nós conhecemos, mas ele cobra os olhos da cara.
– Mesmo assim, gostaria de falar com ele.
– Então, espere um pouco. Vou olhar seu endereço na agenda.
– Obrigado.
– Não tem de quê.

Atividades

a. Formem pares. Pergunte ao seu colega se ele conhece:

- um alfaiate
- uma manicure
- um dentista
- um eletricista
- um sapateiro
- um mecânico
- um borracheiro
- uma costureira

b. Ao dar a resposta, diga onde eles moram, usando as dicas ao lado.
c. Troquem os pares e repitam o exercício.

DICAS
- do outro lado da rua
- na esquina
- neste lado da rua
- é necessário atravessar a rua
- no meio da quadra
- a ___ metros daqui

– Você conhece o prefeito da cidade de São Paulo?
– Eu não conheço mas eu sei que ele se chama ____________________

FOCALIZAÇÃO

Verbos regulares em - er
Modo indicativo

conhecer

	presente	pretérito perfeito
eu	conheço	conheci
ele - ela - você	conhece	conheceu
nós	conhecemos	conhecemos
eles - elas - vocês	conhecem	conheceram

imperativo: conheça
Obs.: verbos com terminação em *-cer*, terão ç antes de *o* e *a*.

QUE PENA! CHOVEU!

QUE CHUVA!

Complete o diálogo:

– Aonde você foi ontem?

– De manhã eu ____ ao centro porque queria comprar alguns brinquedos para as crianças.

– Mas ontem o tempo estava muito instável. Foi possível?

– Não. Eu mal ________(chegar) no centro, começou a ______, de repente, outra vez. Esperei uma hora numa loja de calçados e a chuva não passou. Então, decidi voltar para casa.

– Mas você não ____________(levar) capa e sombrinha?

– Eu ______. Mas não ____________(adiantar) muito.

– Eu imagino. Ontem choveu canivete.

escrever

atender

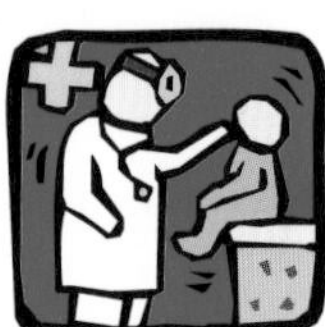

atender

beber

correr

Passe para o negativo:

1. Eu atendo o telefone.

____

2. Ela atende os doentes.

____

3. Nós atendemos os clientes.

____

FOCALIZAÇÃO

modo imperativo

beber **beba**

correr **corra**

atender **atenda**

esconder **esconda**

escolher **escolha**

De repente...

a. num estacionamento, alguns clientes

____

____

b. num edifício, alguns moradores

____

____

c. num salão de beleza, algumas mulheres

____

____

d. na praia, alguns veranistas

____

____

e. no clube, alguns sócios

____

____

f. no teatro, um dos atores

____

____

– Meu tio Carlos morreu na semana passada.

– Não diga! Ele estava doente?

– Não. Ele morreu de repente.

Neste caso, o que significa **de repente**?

____

COMPRANDO UM IMÓVEL

Faça um desenho de um apartamento ou casa, onde você e sua família teriam o máximo de conforto.

Imagine que tudo deu certo e que foi possível adquirir o imóvel dos seus sonhos. Mas por motivo de transferência de trabalho, vê-se obrigado a se desfazer do apartamento ou casa. Que anúncio você escreveria para a venda?

____

____

____

____

____

____

____

____

____

____

QUERO ABRIR A GARRAFA. ONDE ESTÁ O ABRIDOR?

DIÁLOGO

Pedro: *Quero abrir esta garrafa de cerveja. Você viu o abridor?*
Ana: *Deve estar na primeira gaveta do armário. Vou dar uma olhada.*
Pedro: *Deixe, Ana. Eu mesmo vou procurar, obrigado.*

Responda:

Com o que você abre uma garrafa de vinho?

____

Como você abre uma latinha de refrigerante?

____

assistir
à televisão

FOCALIZAÇÃO

Verbos regulares em -ir
Modo indicativo

abrir - dirigir

	presente	pretérito perfeito	presente	pretérito perfeito
eu	**abro**	**abri**	**dirijo**	**dirigi**
ele - ela - você	**abre**	**abriu**	**dirige**	**dirigiu**
nós	**abrimos**	**abrimos**	**dirigimos**	**dirigimos**
eles - elas - vocês	**abrem**	**abriram**	**dirigem**	**dirigiram**

modo imperativo	**abrir - abra**	**assistir - assista**	**discutir - discuta**
	dirigir - dirija	**dividir - divida**	**desistir - desista**

Obs.: verbos com terminação em *-gir*, trocam o *g* em *j* antes de *o* e *a*.

*Oralmente, conjugue os verbos **agir** e **corrigir**.*

Observe

– Você abre a garrafa?
– Sim, abro
– Não, não abro.

Continue as frases:

1. Eu sempre corrijo os erros de meu irmão quando ______________________
2. Eu sempre ajo com muita paciência quando ______________________
3. Eu dirijo com atenção redobrada quando ______________________

REVISÃO

Há uma agência de turismo na esquina. *Tem* uma agência de turismo na esquina.

Responda:

1. Há um banco no meio da quadra?

____

2. Tem uma farmácia na esquina?

____

3. Há uma agência de turismo do outro lado da rua?

____

Descreva os quartos:

Em qual deles você não dormiria? ______________________________ Diga as razões.

Ponha em ordem o diálogo:

1. _______________________________________
2. _______________________________________
3. _______________________________________
4. _______________________________________
5. _______________________________________
6. _______________________________________

Pronúncia

ação
lição
coração
solução

SOBRE BEBIDAS

1. Que garrafas podem ser abertas sem abridor? ______________________
2. Em que ocasiões é comum abrir garrafas de champanhe? ______________________

O SENHOR TEM QUE REPOUSAR

FAZENDO UMA CONSULTA MÉDICA

Médico: *O que o senhor sente?*
Cliente: *Sinto muita dor de cabeça. À noite tusso muito e meu corpo dói demais.* ***Fiquei de cama*** *há três dias. Só saí de casa para vir aqui. Não paro de espirrar.*
Médico: *O senhor está com febre?*
Cliente: *Acho que sim.*
Médico: *Um momento. Vou medir sua temperatura. Realmente o senhor está com febre. Vou lhe dar a receita. O senhor* ***tem que*** *tomar uma injeção e tomar comprimidos de seis em seis horas. Aqui está.*
Cliente: *Obrigado.*
Médico: *Por favor, telefone se a febre não baixar.*
Cliente: *Tudo bem.*

o espirro

FOCALIZAÇÃO
TER QUE = TER DE

Recomendações

Você tem que ficar na cadeira de rodas.
Você teve que *ficar na cadeira de rodas.*
Você teve de *ficar na cadeira de rodas.*

Você tem que tirar Raio X.

____
____

Você tem que fazer exame de vista.

____
____

Você tem que repousar.

____
____

Responda:
Quais são as providências que uma pessoa deve tomar ao perceber que está com febre?

____

QUE HORAS SÃO?

– Meu filme favorito vai passar à meia-noite.

– Que horas **são**? – ***É*** meia-noite.

Que horas são?

É meio-dia.

É uma hora.

São duas horas.

São três horas.

São quatro horas.

São cinco horas.

São seis horas.

Qual é o seu horário de trabalho?

Eu trabalho das oito às seis.

COMPLETE:

Eu estudo das..............às............

Eu almoço das............às.............

Eu jogo tênis das........às...........

Leia:

01:15
02:10
03:25
05:30
06:15
09:20
10:08
04:50
07:35
08:45
11:35
14:40
15:30
16:10
17:05
20:10
22:10
18:40
19:35
21:45
23:55

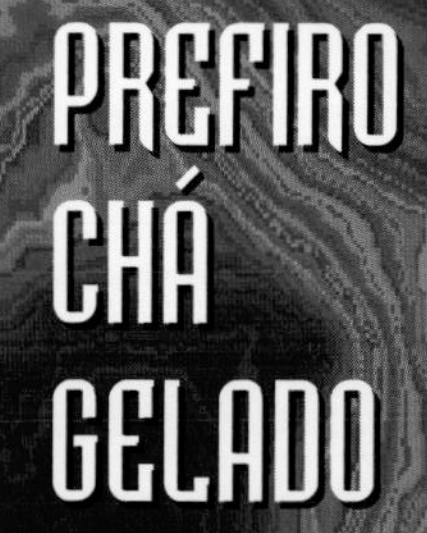

COMPLETE O DIÁLOGO

– Bom dia, senhora. Sou seu novo vizinho. Minha esposa e eu **acabamos de** nos mudar.
– Oh, muito prazer. _____ nome ____ Vera.
– O meu _______ é Carlos e o de minha esposa ____ Alice. Gostaríamos de convidá-la para tomar um chá em nossa casa.
– Oh, obrigada. Quanta gentileza!
– Quando a senhora poderia? Sábado ou domingo à tarde?
– **Se vocês não se importam,** ___________(preferir) sábado.
– A que horas é melhor para a senhora?
– Que tal às quatro?
– Perfeito. Então até sábado.

FOCALIZAÇÃO

Verbo *preferir* - irregular
Modo indicativo

preferir

	presente	pretérito perfeito
eu	prefiro	preferi
ele - ela - você	prefere	preferiu
nós	preferimos	preferimos
eles - elas - vocês	preferem	preferiram

ESSAS MULHERES INCRÍVEIS

HENNY HUISMAN detém o mais alto índice de audiência da Holanda, com o programa *SurpriseShowFin*, que se propõe a tornar realidade os sonhos dos participantes.

OSCAR CABRAL / ABRIL IMAGENS

REGINA DUARTE trabalha na televisão há mais de 33 anos e já atuou em 21 telenovelas, além de minisséries, especiais e seriados. A atriz ficou conhecida, na década de 1970, como a "Namoradinha do Brasil".

DELIA SMITH já apresentou 6 séries de programas de culinária na TV britânica e escreveu mais de 13 livros. Estima-se que sua fortuna seja de US$ 38,4 milhões.

Fonte: Guiness Book, 1999.

Atividades

1. Fale sobre o trabalho feminino.
2. Cite três profissões que você considera "serviços pesados" para a mulher. Quais são os riscos que a mulher corre?
3. O que você soube sobre a cozinheira britânica?

FOCALIZAÇÃO

Verbo *saber* - irregular
Modo indicativo

saber

	presente	pretérito perfeito
eu	sei	soube
ele - ela - você	sabe	soube
nós	sabemos	soubemos
eles - elas - vocês	sabem	souberam

imperativo: saiba

COMO É QUE ELE ESTÁ?

DIÁLOGO

Paciente: *Estou com dor de cabeça.*

Enfermeira: *Somente dor de cabeça?*

Paciente: *Não. Estou também com dor nas costas e nas pernas. Estou muito mal.*

Enfermeira: *O senhor precisa tomar uma injeção na veia.*

Paciente: *Ah, não. É mesmo necessário?*

Enfermeira: *Sim. Agorinha mesmo.*

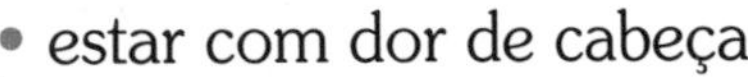

Observe

- estar com dor de cabeça
- estar com dor de estômago
- estar com dor de dente
- estar com gripe
- estar com dor de garganta
- estar com dor de ouvido

– Eu estou com calor. E você?
– Eu estou com frio.
– Então você deve estar com febre.
– Eu acho que sim.

Complete:

1. Eu tusso muito porque

   ____

2. Meu rosto está inchado porque

   ____

3. Vou tirar esta blusa e colocar uma camiseta sem mangas porque

   ____

4. Preciso pôr um casaco porque

   ____

Que roupas você gosta de usar quando está com frio?

____

ZANGADO OU CANSADO?

COMO ELE ESTÁ?

O sr. Carlos de Lima é técnico de futebol.
No mês passado, o seu time perdeu dois jogos.
O próximo jogo vai ser depois de amanhã e é necessário ganhar.

1. De acordo com a ilustração, o técnico está:

( ) cansado
( ) zangado
( ) preocupado
( ) irritado
( ) chateado
( ) aborrecido

2. Em sua mão há um papel. Ele está:
( ) liso ( ) dobrado ( ) amassado

3. O técnico precisa:
( ) lavar as mãos ( ) fazer a barba

singular	*plural*
O papel está amassado.	______________________
O anel é de ouro.	______________________
O coronel já chegou no quartel.	______________________

RESPONDA

1. O que você faz quando sua roupa está amassada?

____

2. O que você usa para passar roupa?

____

3. Que tecidos amassam demais?
( ) linho ( ) seda ( ) tergal ( ) algodão

ATIVIDADES:

1. Procure saber o que aconteceu de importante na última semana.
2. Pergunte ao seu colega se ele "soube o que aconteceu".

Exemplo:
Fato - O técnico do Flamengo pediu demissão.
Você soube que o técnico do Flamengo pediu demissão?

EU NÃO POSSO JOGAR FUTEBOL

DIÁLOGO - VISITANDO UM AMIGO

Mário: *Mas o que **foi que** aconteceu?*

Ari: *Escorreguei na escada, caí e quebrei a perna.*

Mário: *Que azar! E agora?*

Ari: *Não posso trabalhar e nem jogar futebol por uns dois meses. Não sei como vou agüentar tanto tempo com esse gesso na minha perna.*

Mário: *Calma. Você precisa ter paciência.*

Ari: *Vou tentar.*

Observe

é que - presente
será que - futuro
foi que - pretérito perfeito

Complete com o presente do indicativo:

1. Eu posso jogar golfe, mas ele não ________.
2. Ela pode ajudar, mas eu não ____________.
3. Você pode sair, mas eu não ____________.

O carregador não pode erguer o pacote porque está:

( ) com dor nas pernas
( ) com dor nas costas

Se é necessário erguer um objeto muito pesado, você:

( ) tenta fazer tudo sozinho
( ) pede ajuda

Responda:

O que é necessário fazer quando alguém quebra um braço ou uma perna?

____

Quem quebra uma perna deverá ir:

( ) a um hospital do coração
( ) a um hospital de fraturas

Um pronto-socorro atende a que tipos de emergências?

____

FOCALIZAÇÃO

Verbo *poder* - irregular
Modo indicativo

poder

	presente	pretérito perfeito
eu	posso	pude
ele - ela - você	pode	pôde
nós	podemos	pudemos
eles - elas - vocês	podem	puderam

DIÁLOGO

– Vou fazer uma viagem.
– Como?
– De avião.
– Para onde?
– Para São Paulo.
– Você já fez reserva de hotel?
– Fiz.
– Faça boa viagem.
– Obrigado.

fazer viagem
fazer reserva
fazer compras

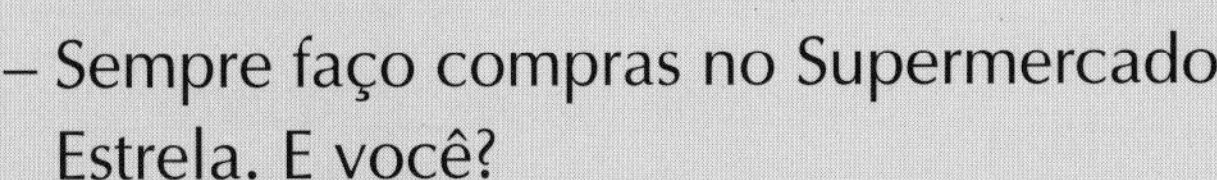

– Sempre faço compras no Supermercado Estrela. E você?
– Eu também. Os preços **são mais em conta**.

Em sua cidade, em que supermercado os preços são mais em conta?

____

FOCALIZAÇÃO

Verbo *fazer* - irregular
Modo indicativo

fazer

	presente	pretérito perfeito
eu	**faço**	**fiz**
ele - ela - você	**faz**	**fez**
nós	**fazemos**	**fizemos**
eles - elas - vocês	**fazem**	**fizeram**

imperativo: faça

Complete os diálogos:

- Que curso você faz?
- Medicina. E você?
- Eu _______ Engenharia.

- Ontem você ____ compras?
- Sim, eu _________.

- Na semana passada vocês _________ reserva de hotel?
- Sim, nós ________________. Já está tudo certo.

- O que você faz?
- Eu faço curso de pintura. É o meu passatempo favorito.
- Qual é a duração do curso?
- Seis meses.

Responda:
Qual é seu passatempo favorito?

____

Complete:

Eu trabalho, de manhã, _____ oito ____ meio-dia. Almoço do meio-dia ___ uma hora. ___ uma às duas, freqüentemente, dou uma caminhada pelo centro. Aproveito e também vou ao banco ou a alguma loja. Gosto de _______ (olhar) as vitrinas. De tarde, trabalho _____ duas ____ seis. Nos fins de semana, às vezes, vou ao cinema na última sessão. Normalmente, a última sessão é _____ dez ___ meia-noite. Gosto de jantar, sempre, das oito ___ nove.

Depois do almoço, Vera e Ana gostam de dar uma caminhada pelo centro.

Eu estudo piano ____quatro ____ cinco. Depois eu vou ao clube e jogo tênis com meus amigos ____ seis ____ sete e meia.
Minha mãe vai ao curso de costura, às terças e quintas-feiras, ____ duas ____ cinco horas.
Nós sempre almoçamos ____ meio-dia ____ uma hora.

CURSO DE COSTURA
DURAÇÃO: 6 meses
INÍCIO: 1º de março
FONE: 3222-0101

Atividade

No espaço abaixo, escreva três coisas que:

- você tem que fazer hoje
- você não tem que fazer hoje, dá para deixar para amanhã

___________________ ___________________

___________________ ___________________

___________________ ___________________

FAZER OU NÃO FAZER?

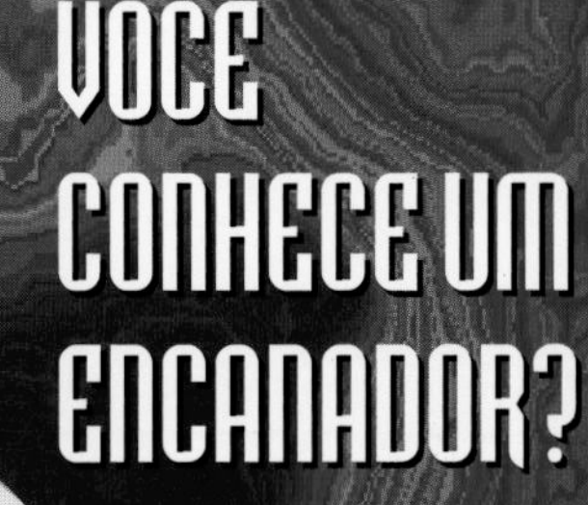

CONSERTOS

Complete:

Ana: *Ontem a torneira da pia do banheiro __________ (quebrar).*

Lúcia: *Que pena!*

Ana: *Eu _____ (ir) para o centro e __________ (comprar) uma nova.*

Lúcia: *O que __________ (acontecer)?*

Ana: *Ela pinga* ***sem parar.***

Lúcia: *Você precisa de um encanador para __________ (consertar).*

Ana: *Eu _____ (saber). Você conhece um bom encanador?*

Lúcia: *Espere. Tenho o nome de um encanador na agenda. No ano passado ele __________ (consertar) uma torneira da pia da cozinha. O cartão ________ (estar) na gaveta do armário. Um momento. Ah, está aqui. Tome. ________ (ficar) com ele.*

Ana: *Que sorte! Obrigada.*

A torneira pinga sem parar.

Responda:

Você precisa consertar alguma coisa em sua casa? ______________________

O que é? ______________________

Quem é necessário chamar? ______________________

ESTAMOS PERDIDOS

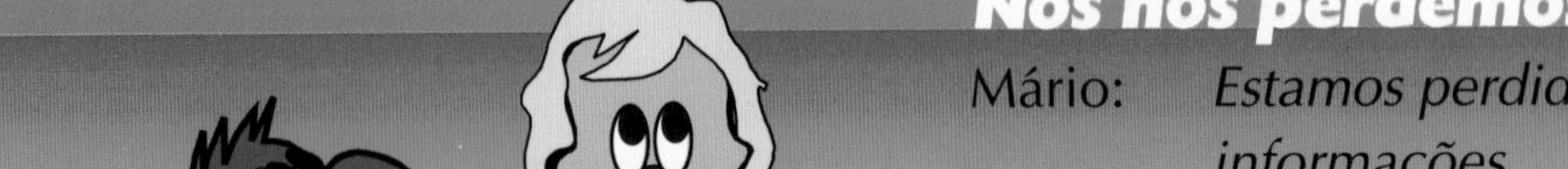

papelaria	sapataria	imobiliária
banco	loja de calçados	salão de beleza
locadora de vídeo	correio	agência de turismo
banca	floricultura	escritório
hospital	livraria	consultório
panificadora	chaveiro	lavanderia

Nós nos perdemos

Mário: *Estamos perdidos. Temos que pedir informações.*
Pedro: *Com certeza.*
Mário: *Por gentileza, senhor. Poderia nos informar onde fica o correio?*
Senhor: *Fica ali, naquela esquina.*
Pedro: *E a Sapataria Rápida?*
Senhor: *Na outra esquina.*
Pedro: *E a banca?*
Senhor: *Fica a duas quadras daqui, à esquerda. ao lado do posto de gasolina.*
Mário: *Nunca estivemos neste lado da cidade antes. Obrigada pelas informações.*
Senhor: *Ora, de nada. Foi um prazer, rapazes.*

Você já se perdeu alguma vez? ______________________

Onde? ______________________

Como aconteceu? ______________________

FOCALIZAÇÃO

Combinação da preposição a + *artigos*

a + a = à
a + as = às
a + o = ao
a + os = aos

Responda:

Em que situações as pessoas fazem contato com uma imobiliária?

( ) Para alugar fitas de vídeo.
( ) Para comprar linha de telefone.
( ) Para comprar terreno.

Complete:

1. Por que você foi ___ farmácia?
   Porque precisei comprar ______________.

2. Por que você vai ____ banco?
   Porque preciso ______________________.

FUI À JOALHERIA

Objetos/Coisas

fita de vídeo	bracelete	bolsa
filme para câmera fotográfica	corrente	carteira
cartão-postal	anel	gargantilha
meias	pulseira	secador de cabelos
creme dental	colar	brincos

Na vitrina da joalheria

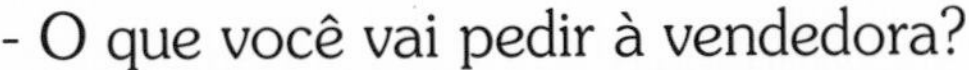

Dr. Fernando conversa com seu filho Júlio:

- O que você vai pedir à vendedora?
- Vou pedir para me mostrar as pulseiras, anéis, brincos e colares de pérola.
- E você vai comprar alguma coisa?
- Sim, eu quero dar uma jóia para a mamãe no seu aniversário.
- É uma boa idéia. Ela adora jóias.
- Todas as mulheres gostam, não é?
- Vai ser uma bela surpresa!

FOCALIZAÇÃO

Verbo *pedir* - irregular
Modo indicativo — *pedir*

	presente	pretérito perfeito
eu	peço	pedi
ele - ela - você	pede	pediu
nós	pedimos	pedimos
eles - elas - vocês	pedem	pediram

imperativo: peça

– *Aonde você **foi** ontem?*
– *À farmácia. Precisei comprar remédios.*

– *Aonde você **vai**?*
– *Ao banco. Preciso depositar dinheiro.*

Complete com o verbo pedir:
Ontem, na joalheria, eu ________ para ver os anéis. Minha mãe e minha irmã ________ para a vendedora mostrar as pulseiras e meu pai ________ para dar uma olhada nos relógios.

Verbo *ir* - irregular
Modo indicativo — *ir*

	presente	pretérito perfeito
eu	vou	fui
ele - ela - você	vai	foi
nós	vamos	fomos
eles - elas - vocês	vão	foram

imperativo: vá

PERGUNTANDO E RESPONDENDO

Do coração.

Meu vizinho.

Sobre música.

R$ 1.000,00.

Com molho de tomate.

Ao meio-dia.

De avião.

É 3233-6036.

Eu ensino Matemática.

Sílvia é de São Paulo e eu sou de Salvador.

Vou servir os aperitivos na bandeja.

Comprei numa liquidação.

Não é dela. É de Carlos.

Escreva as respostas para as seguintes perguntas:

1. Do que ele morreu? ______________________
2. Quanto você pagou por este sofá? ______________________
3. Quem você chamou? ______________________
4. A que horas você vai almoçar? ______________________
5. Como você viajou? ______________________
6. Esta bicicleta é de Lúcia? ______________________
7. O que você faz? ______________________
8. De onde vocês são? ______________________
9. Onde você comprou os sapatos? ______________________
10. Qual é o número do seu telefone? ______________________
11. Sobre o que Paulo e Pedro falaram? ______________________
12. Como você quer a carne? Com ou sem molho? ______________________
13. Como você vai servir as azeitonas e o queijo? ______________________

OUVI DIZER

OUVI DIZER QUE ELE VAI CHEGAR AMANHÃ

DIÁLOGOS

– Você sabe quando o diretor da empresa vai chegar de viagem?
– Ouvi dizer que ele vai chegar amanhã.

– Quando o preço dos combustíveis vai subir?
– Ouvi dizer que na semana que vem.

Complete:
– Onde você vai comprar o material escolar?
– Nas Lojas Americanas. Eu ____________________ que os preços lá estão mais em conta.

– Você vai emprestar dinheiro para Patrícia?
– Definitivamente, não. Eu ____________________ que ela nunca devolve as coisas que pede emprestado. Imagine dinheiro!

DE REPENTE

de súbito, repentinamente, de um momento para o outro

No Brasil é muito comum, na linguagem oral, usar "de repente" com idéia de "então - daí - aí".

Continue a frase de acordo com a ilustração:

Mário pegou uma pasta com documentos confidenciais e, de repente,

____

Continue as frases:

1. Maria viajou para São Paulo e, de repente, ____________________
2. Carlos foi embora da festa e, de repente, ____________________
3. Na praça, tinha um homem bêbado que estava dormindo. Algumas crianças chegaram perto dele e, de repente, ____________________

Atividades

1. Formar pares e criar dois diálogos usando "ouvi dizer" e "de repente".
2. Apresentar o trabalho para o grupo.

Onde fica a igreja?

Ajude o turista que pede uma informação. Dê duas opções.

____

____

Complete:

1. Na semana passada nós _______________(estar) em Brasília.
2. Ontem ele __________(abrir) três pacotes de leite.
3. No mês passado eu __________(ter) que pagar muitas contas.

Quanto <u>é que</u> custa?
Quanto <u>será que</u> vai custar?

1. Quando é que ele chega?

____

3. Quem é que ajuda?

____

4. Para quem é que ele deixa a herança?

____

QUAL DELES? QUAL DELAS?

Diálogo

– **Qual deles** é o gerente de vendas?
– **Aquele** de camisa azul.
– **Qual delas** é Lúcia?
– **Aquela** de verde.

COM LETRA DE FORMA OU POR CURSIVA?

NO CORREIO

Cláudio escreveu uma carta para sua mãe que mora em Brasília.

– Por favor, gostaria de __________ (mandar) esta carta registrada.
– Pois não. O senhor tem que ____________ (preencher) este formulário.
– Com letra de forma ou por extenso?
– Com letra de forma.
– Quando é que a carta vai chegar?
– Amanhã mesmo.
– __________ (ter) cola?
– Sim. Ela ________ (estar) ali, naquele balcão.
– Obrigado.

Escreva o seu nome:
com letra de forma: ______________________________
letra cursiva: ______________________________

REFERINDO-SE AO FUTURO

amanhã - depois de amanhã
daqui a pouco - daqui a pouquinho
daqui a um minuto - daqui a um minutinho
daqui a uma semana - daqui a duas semanas
daqui a um mês - daqui a dois meses
daqui a um ano - daqui a dois anos
na próxima semana
no próximo mês
no próximo ano
na semana que vem
no mês que vem
no ano que vem

Escreva os opostos de:

mandar ______________
negar ______________
sair ______________
prender ______________
descer ______________
organizar ______________
embrulhar ______________
colar ______________

COMO É O ATENDIMENTO?

Fale do atendimento das agências do correio de sua cidade. As agências de correio, normalmente, oferecem outros tipos de serviços? Exemplo: venda de bilhetes de loterias.

DIZENDO A VERDADE

DIZER A VERDADE

Como dizer...

1. a um garçom que o jantar não está delicioso?

2. a um vizinho que seu filho foi atropelado?

3. a um amigo que alguém bateu no seu carro que estava estacionado perto da esquina?

4. a um amigo para não ficar preocupado com o atraso dos filhos?

5. a um torcedor, num campo de futebol, para parar de xingar o juiz?

6. a um amigo que ele está precisando ser mais cuidadoso no trânsito?

7. a um parente que sua doença é incurável?

8. a uma criança que seu animal de estimação morreu?

9. a um vizinho que a sua casa foi assaltada?

QUEM VAI PREPARAR A MOQUECA?

COMIDAS REGIONAIS

A comida mineira é uma soma das influências indígenas, africanas e portuguesas. Esta última está nitidamente presente em muitos doces, como o arroz-doce, por exemplo.

Moqueca e vatapá são alguns dos principais pratos típicos da Bahia. No Rio Grande do Sul, já predomina o churrasco.

RECEITA DE MOQUECA

bom apetite

Ingredientes

400 g de badejo
200 g de camarão
100 g de tomate
100 g de cebola
1 colher (sopa) alho
1 colher (sopa) de colorau
coentro

Complete com a forma imperativa dos Verbos indicados:

Modo de fazer

_______________(descongelar) o peixe e _______________(temperar) com limão. _______________(esquentar) bem a panela de barro, _______________(colocar) azeite e _______________(deixar) esquentar. Ponha uma colher de sopa de alho e uma colher de sopa de colorau. Ponha o peixe na panela e espere um pouco. _______________(colocar) água quente e pré-cozinhe o badejo (apenas amolecendo-o, deixando firme). Depois, ponha coentro, tomate e cebola. Por último, um copo d'água quente. Quando o tomate desmanchar, _______________(colocar) o camarão e _______________(deixar) por um minuto em fogo baixo.

FOCALIZAÇÃO

Futuro do indicativo — *ir + infinitivo*

eu	**vou cozinhar**
ele - ela - você	**vai cozinhar**
nós	**vamos cozinhar**
eles - elas - vocês	**vão cozinhar**

Normalmente, comer algo com temperos muito fortes:

( ) dá sono ( ) dá dor de estômago
( ) dá congestão ( ) dá dor de cabeça

Por que não é aconselhável dirigir logo após o almoço?

____

VAMOS FAZER UM BRINDE?

COMO HOMENAGEAR?

A homenagem pode muito bem ser um jantar em sua casa. Ou você teria outra idéia?

Mas, que jantar?

Um almoço ou jantar com pratos frios é uma opção inteligente para quem trabalha fora e tem pouco tempo para providenciar as coisas. É também uma opção interessante para quem não tem empregadas. Pode até ser preparado na véspera. Na hora que os convidados chegarem, tudo estará pronto e nem será preciso sujar o fogão.

Uma bela toalha na mesa, um arranjo de flores, pratos coloridos, guardanapos combinando e os pratos com muita cor tornam a mesa mais festiva, alegre e convidativa.

Como você homenagearia um amigo que:

a) tirou primeiro lugar num concurso de fotografias

____

b) tirou primeiro lugar num concurso de poesias

____

c) ganhou uma bolsa de estudos para estudar pintura na Itália

____

VAI CHOVER OU FAZER SOL?

SOBRE O TEMPO

FAZER BOM TEMPO
FAZER SOL
FAZER CALOR

FAZER MAU TEMPO
FAZER FRIO

CHOVER
NEVAR
VENTAR

Previsão do tempo:

Céu nublado, com pancadas de chuva à tarde.

Vento o dia todo.

DIÁLOGO

– Aonde é que vocês vão?
– A gente vai ao banco.
– Vocês podem fazer um depósito para mim?
– Claro!
– Um minutinho, vou preencher o cheque.
– Você tem que preencher rápido. O banco vai fechar daqui a pouco.
– E parece que vai chover. É bom levar o guarda-chuva e as capas.

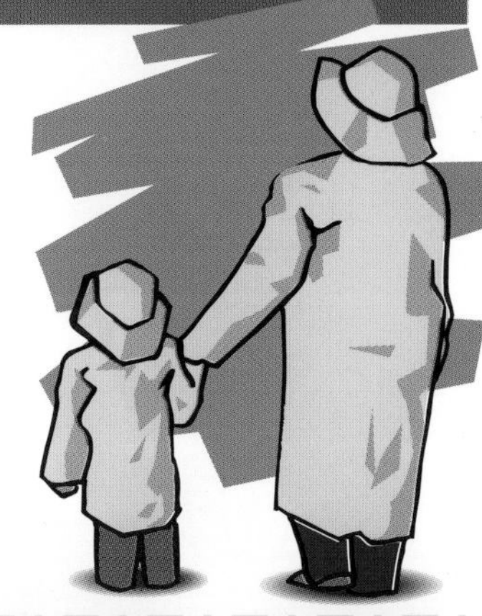

FOCALIZAÇÃO — *a gente*

A GENTE: é uma expressão que corresponde a ***nós***. O verbo deve ser usado na 3ª pessoa do singular.

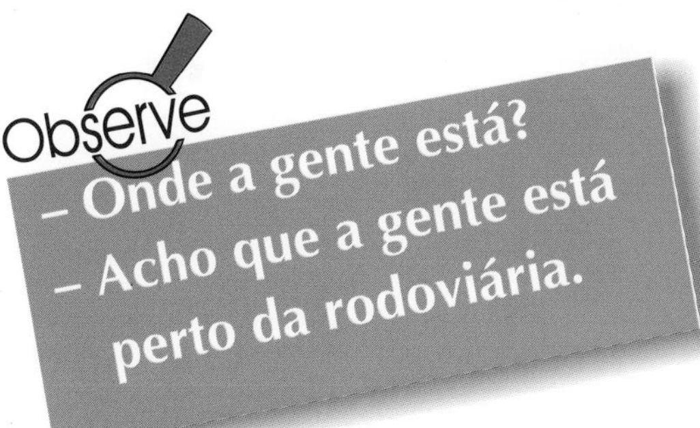

Complete:

perto de casa
A gente está perto de casa.

longe de casa
A gente ______________________

com pressa
A gente ______________________

Como está o tempo hoje? ( ) chuvoso ( ) faz calor ( ) faz frio ( ) nublado
( ) instável, sujeito a chuvas e trovoadas

À noite, parece que: ( ) vai chover ( ) vai esfriar ( ) vai esquentar

De acordo com o serviço de metereologia, qual é a previsão do tempo para amanhã?

____

ACABAR DE - ELE ACABOU DE...

- Quem acabou de chegar?
- O meu cunhado.

telefonar

Ele acabou de telefonar.

chegar

____

sair

____

almoçar

____

Descreva as pessoas abaixo:

(roupas - acessórios - características físicas)

Complete o diálogo:

– Lúcia ___________(fazer) aniversário no próximo dia 20. Você vai?
– Claro. Já _____________(receber) o convite.
– Quantos anos ela vai fazer?
– Cinco.

PARABÉNS LÚCIA

Atividade

Crie um convite para uma festa de aniversário.

Que presentes as meninas e os meninos gostam de receber?

____

____

O QUE VOCÊ TROUXE?

COMPLETE O DIÁLOGO

Ela: *O que você **trouxe** aí?*

Ele: ***Trouxe** o presente que ________(comprar) para Silvana.*

Ela: *Por quê?*

Ele: *Amanhã é aniversário dela. Silvana é muito **bacana.***

Ela: *Eu também acho. Mas eu __________(esquecer) que amanhã é seu aniversário. Também vou _________ (comprar) um presente. Ela vai fazer festa?*

Ele: ***Que eu saiba não.** Mas o pessoal do escritório quer fazer uma surpresa. Todos vão_____(dar) um presente.*

Ela: *Boa idéia.*

Ele: ***Vamos fazer uma vaquinha** e __________(comprar) um bolo. **No final do expediente** vamos cantar "Parabéns". Por que você não **dá uma passada** no escritório no final da tarde?*

Ela: *Obrigada pelo convite. Eu vou mesmo e vou ________ (levar) meu presente.*

Ele: *Gostaria de ________ (beber) alguma coisa agora?*

Ela: *Sim. **O mesmo de sempre.***

Ele: *Então, **a gente vai** ________(beber) guaraná outra vez.*

Ela: *Mas antes, **me deixe** ligar para minha mãe. Ela deve estar preocupada com a minha demora.*

Ele: *Ora, **fique à vontade.***

Em sua cidade, de que maneira os colegas de trabalho festejam os aniversários?

____

____

____

Fazendo uma vaquinha

- Quanto é que custa o bolo?
- O de nozes, R$ 40,00 e o de chocolate R$ 30,00.
- Então, vamos fazer uma vaquinha. Cada um dá R$ 5,00 e compramos o de nozes.
- Combinado. Boa idéia.
- Acho que Silvana vai gostar da surpresa.
- Eu também acho.

Observe

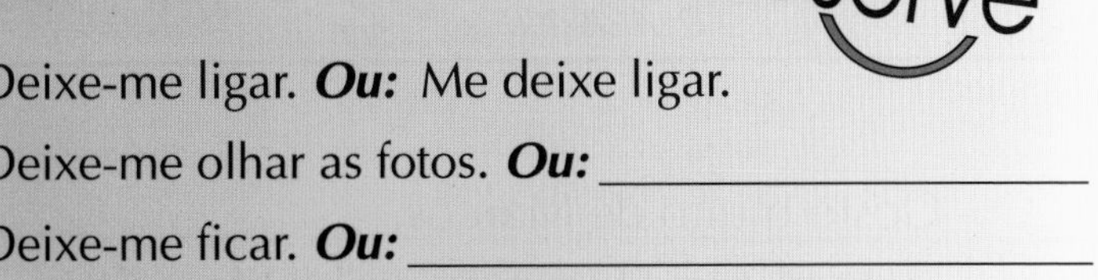

Deixe-me ligar. ***Ou:*** Me deixe ligar.

Deixe-me olhar as fotos. ***Ou:*** ____________________

Deixe-me ficar. ***Ou:*** ____________________

Aceita-se o pronome "me" no início da frase no português coloquial.

Responda:

Em que circunstâncias podemos "fazer uma vaquinha"? ________________________________

Quais são as vantagens?

MAS QUE ABACAXI!

EXPRESSÕES / GÍRIAS

(expressão)

A fio:

sem interrupção

(expressão)

A gente:

nós

(*Observe o verbo usado no singular*)

– Aonde você e sua esposa foram ontem?
– **A gente** foi ao cinema.

Complete com ***a gente:***

Ontem _______________ trabalhou muito.
Na próxima semana _______________ vai viajar.
Neste momento _______________ está almoçando.

(gíria)

Que abacaxi:

Que problema

– Ontem, Luís viajou e o pneu do carro furou.
– **Que abacaxi!** Que pena!

(expressão)

Amigo do peito:

grande amigo

– Gosto muito de Marcos.
– Eu também. Ele é meu **amigo do peito.**

(gíria)

Bacana:

Aplica-se a pessoas e/ou coisas: formidável, simpático, luxuoso, elegante, legal.

– O volante do seu carro é bacana.
– E o carro?
– O carro também é muito bacana.

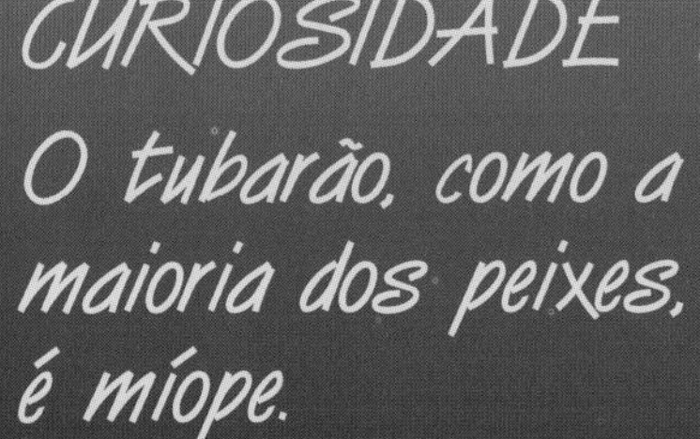

TERROR NO MAR

Recife é a cidade recordista mundial em ataques de tubarão. Desde 1992, já foram registrados 31 ataques a surfistas e banhistas.

Dez pessoas morreram. Todos os casos ocorreram em um trecho de 20 quilômetros, entre as praias do Paiva e do Pina.

"A intenção do tubarão não é atacar seres humanos. A maioria das mordidas são investigativas, por isso são poucas as vítimas fatais", acredita o professor do departamento de pesca da Universidade Rural de Pernambuco. "O tubarão vê pernas e braços se movendo em torno de uma prancha e interpreta a imagem como sendo de uma tartaruga ou de algum outro animal".

Os especialistas acreditam que os tubarões permanecem em um canal de dez metros de profundidade, a um quilômetro da costa. É lá, também, que os surfistas esperam as ondas.

Fonte: Isto É, nº 1545, 12/05/99

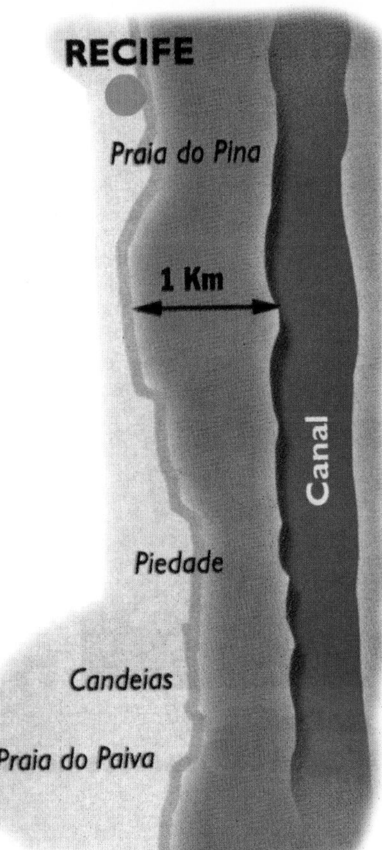

Nota: Pernambuco é um estado do Nordeste do Brasil.

DISCUSSÃO

1. De que maneiras os banhistas são avisados de perigos na praia?
2. A que espécies de perigos os banhistas estão expostos?

Atividade

Criar, em grupos de 4, uma penalidade para banhistas que ousam nadar em lugares proibidos. Apresentar à classe.

FOCALIZAÇÃO

Verbo *trazer* - irregular
Modo indicativo — *trazer*

	presente	pretérito perfeito
eu	trago	trouxe
ele - ela - você	traz	trouxe
nós	trazemos	trouxemos
eles - elas - vocês	trazem	trouxeram

imperativo: traga

Verbo *dar* - irregular
Modo indicativo — *dar*

	presente	pretérito perfeito
eu	dou	dei
ele - ela - você	dá	deu
nós	damos	demos
eles - elas - vocês	dão	deram

imperativo: dê

Verbo *ver* - irregular
Modo indicativo — *ver*

	presente	pretérito perfeito
eu	vejo	vi
ele - ela - você	vê	viu
nós	vemos	vimos
eles - elas - vocês	vêem	viram

imperativo: veja

COMPLETE

Num autódromo assistimos a

____

e num sambódromo

____

CORRIDA DE CAVALOS

Complete o diálogo

– Você gosta _____ corrida de cavalos?
– Sim, eu **curto** muito. Sempre que posso, eu vou ao hipódromo.
– _____ quem você vai?
– Com o meu irmão. Ele também **curte** corrida de cavalos.
– E você sempre aposta?
– Sim, ________. Já ________(ganhar) e também já ________(perder) muitas vezes.

1. Quantos cavalos aparecem no desenho?

____

2. Qual é o cavalo que está em último lugar?

____

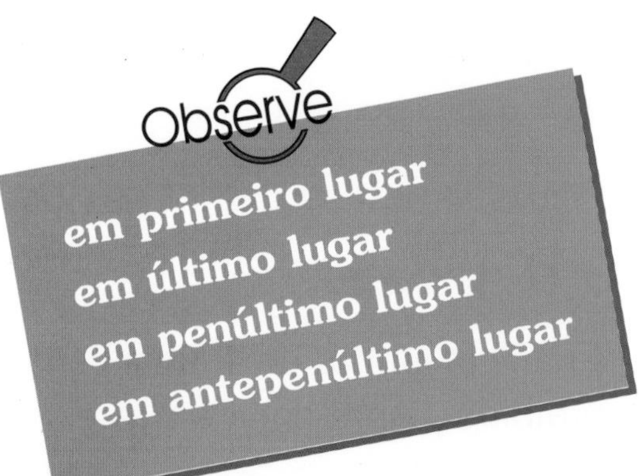

FAZENDO PESQUISA DE PREÇOS

Plantão de Vendas
Rua das Flores, 53
3342-5690

CONDOMÍNIO ARAUCÁRIA

sobrados - 160 m² - 3 quartos - 1 suíte
armários nos quartos e banheiros
churrasqueira individual
circuito interno de segurança
salão de festas
3.500 m² de área de lazer com jardins, playground, quadra poliesportiva e piscina
duas garagens

EXCELENTE ACABAMENTO
FINANCIAMENTO COM AGENTE FINANCEIRO

INFORME-SE

Quanto custa em sua cidade, no centro:

a. um apartamento com um quarto 90m2 ____________
b. um apartamento com dois quartos 120 m2 ____________
c. um apartamento com três quartos e uma suíte 400 m2____________

Quando alguém deseja comprar um imóvel, deve contatar:
( ) um advogado ( ) um economista ( ) um corretor de imóveis ( ) um vendedor

Um corretor de imóveis trabalha:
( ) num escritório de contabilidade ( ) numa imobiliária ( ) num consultório

Quando alguém deseja fazer seguro de carro ou de vida, deve contatar:
( ) um vendedor ( ) um corretor ( ) um economista ( ) um administrador de empresas

Um corretor de seguros trabalha:
( ) num consultório ( ) numa corretora ( ) numa imobiliária

ATIVIDADES

a. Escreva os nomes de duas seguradores de sua cidade.
b. Que tipos de seguros elas oferecem?
c. Fale sobre a carência dos planos de saúde.
d. Fale sobre a franquia dos seguros de automóveis.

QUERO MARCAR UMA CONSULTA

GRIPE E RESFRIADO?

Quem está com gripe, normalmente:

( ) boceja
( ) espirra
( ) tosse
( ) tem febre
( ) tem disposição
( ) fica de cama

RECOMENDAÇÕES

A. Fique em repouso e evite trabalhos estafantes.

B. Aumente a ingestão de líquidos (água, chá, suco e leite com mel, limão e alho).

C. Marque uma consulta com o médico.

O que você faz quando pega gripe?

____

____

Verbos: ficar, evitar, aumentar, marcar.

imperativos: ________ (ficar), ________ (evitar), ________ (aumentar), ________ (marcar)

MARCANDO CONSULTA

Secretária: *Clínica São Paulo, boa-tarde.*

José: *Boa-tarde.*
Gostaria de marcar uma consulta para hoje. É possível?

Secretária: *Depende. Com o dr. Carlos não dá.*
Com o dr. Luís ainda tem um horário às cinco.

José: *Por favor, então, marque com o dr. Luís.*
A propósito, quanto custa a consulta?

Secretária: *Custa R$ 70,00.*

CLÍNICA SÃO PAULO
Dr. Carlos de Lima
Dr. Luís de Castro
Dra. Célia da Luz

Sua opinião

Há pessoas que têm mania de tomar remédios para tudo.
Esta atitude é realmente sensata, trazendo benefícios ou poderá ser prejudicial à saúde?

PREFIRO O VERÃO. E VOCÊ?

O mês favorito de Alfredo é janeiro porque faz muito calor e ele sempre tira férias.

Responda:

Que atividades esportivas podem ser feitas quando:

1. faz calor? ______________________________
2. faz frio? ______________________________

Quando você viaja de férias, prefere usar táxi, metrô, ônibus, alugar um carro, ou gastar a sola dos sapatos?

____

VIAJAR POR CONTA PRÓPRIA OU POR PACOTE?

Se optar por viajar por conta própria vai ter a liberdade como uma das grandes vantagens: vai poder escolher hotéis, restaurantes, ficar mais algum tempo apreciando as obras de um museu e até ficar mais alguns dias.

Por pacote, além de sair mais barato, não vai se preocupar com a compra de passagens, nem reservas de hotel, nem com a escolha de restaurantes.

Entretanto, se decidir viajar por conta própria a Roma, por exemplo, aqui está uma dica sobre transporte.

Use o metrô, que tem duas linhas que chegam nos principais pontos. Se preferir pegar táxi, há pontos nas principais praças.

No entanto, a pé, você curte muito mais a arquitetura, as praças e fontes, as escavações milenares.

ESTAÇÕES DO ANO

Verão:  dezembro, janeiro, fevereiro

Outono:  março, abril, maio

Inverno:  junho, julho, agosto

Primavera:  setembro, outubro, novembro

ATIVIDADE

Formar grupos de três e discutir as vantagens e desvantagens de viajar por conta própria e por pacote.

A QUE HORAS VOCÊ VAI SAIR DO TRABALHO?

ÀS SEIS EM PONTO

Lúcia sai sempre do trabalho às seis em ponto e corre para o ponto de ônibus.

relógio de ponto

– A que horas você vai sair?
– Às seis em ponto.
– Mas antes você tem que bater o cartão.
– Eu sei. E depois vou para o ponto de ônibus.
– Mas por que é que você está com tanta pressa?
– Porque não quero perder o ônibus das seis e meia.
O ônibus das sete está sempre lotado.
A gente se sente como sardinha em lata.
– Você tem razão.

FOCALIZAÇÃO

Verbo *sair* - irregular
Modo indicativo

sair

	presente	pretérito perfeito
eu	**saio**	**saí**
ele - ela - você	**sai**	**saiu**
nós	**saímos**	**saímos**
eles - elas - vocês	**saem**	**saíram**

imperativo: saia

Sair **de** casa **para** o aeroporto.

Num ônibus

O que pode acontecer com os passageiros que estão de pé quando o motorista precisa frear bruscamente?

Alguma vez você já tomou um ônibus lotado? Como se sentiu?

____

As pessoas da Terceira Idade precisam pagar passagem?
Como elas se identificam ao tomar o ônibus?

____

____

PRATICANDO

1. Saí ____ casa às duas horas.
2. Ontem elas saíram ____ escola mais cedo.
3. Os funcionários sempre saem ____ banco às cinco horas.
4. Cuidado! Você pode cair ____ janela!
5. O bebê pode cair ____ sofá.

COMPLETE COM OS VERBOS INDICADOS

– Ontem _____(ir) ao aniversário de Fernanda.
– Você lhe ______(dar) um presente?
– Sim.
– O que você ____________(comprar)?
– __________(comprar) um livro.

– Ontem você ______(ver) Carlos?
– Sim, _______.
– E você _______(falar) com ele?
– Não. Não deu.

– O que você trouxe?
– _______(trazer) um CD.
– De quem?
– De Maria Bethânia.

– O que é que você ________(fazer) ontem?
– _____(ir) ao médico.
– Por quê?
– Eu estava com dor nas costas.

FAZENDO PESQUISA DE PREÇOS

Procure saber quanto custa:

1. uma consulta médica ______________________________

2. uma diária de hospital ______________________________

PRATICANDO

abrir a janela
Você se importa se eu abrir a janela?

fumar
____

telefonar após às 22:00 horas
____

aumentar o volume da televisão
____

sair mais cedo
____

A VIDA NAS GRANDES CIDADES

QUE CORRERIA!

As pessoas que moram em grandes cidades precisam sair bem cedo para trabalhar ou estudar. Pela manhã, na hora do almoço e à noite, o trânsito fica intenso, ocasionando muitos congestionamentos. Ônibus, trens, metrôs e automóveis levam e trazem as pessoas sem parar.

Quando o trânsito está engarrafado, muitos motoristas:

( ) ficam calmos

( ) ficam impacientes

( ) buzinam

Pergunte ao seu colega:

1. quais são os principais lugares de lazer de sua cidade.

2. peça que ele fale sobre: cinemas, teatros, centros esportivos, estádios, circos, festas religiosas, festas folclóricas e festas cívicas.

Descreva os dois palhaços.

Como você anunciaria um espetáculo circense?

___

HORÁRIOS	ABERTO	FECHADO
BANCO	10:00	16:00
CORREIO	08:00	18:00
COMÉRCIO	09:00	19:00
	COMEÇA	TERMINA
FILME	20:00	22:00
CONCERTO	21:00	23:00
JOGO DE FUTEBOL	16:00	17:45
	SAÍDA	CHEGADA
ÔNIBUS	02:00	22:00
TREM	07:00	11:00
AVIÃO	16:00	16:30

– Ontem perdi a hora e cheguei atrasado no trabalho.

O QUE PODEMOS PERDER?

- objetos (chave, caneta, carteira)
- shows, espetáculos
- filmes
- liquidação
- tempo
- paciência
- cachorrinho
- hora
- trem
- avião
- ônibus
- metrô

Diálogo:

– Guarde o dinheiro no bolso para não perder.
– Fique tranqüilo. Nunca perdi nada em toda a minha vida.
– Nem chave?
– Nem chave.
– Nem caneta?
– Nem caneta.
– Nem dinheiro?
– Nem dinheiro.
– Eu já perdi muitas coisas.

FOCALIZAÇÃO

Verbo *perder* - irregular
Modo indicativo

perder

	presente	pretérito perfeito
eu	**perco**	**perdi**
ele - ela - você	**perde**	**perdeu**
nós	**perdemos**	**perdemos**
eles - elas - vocês	**perdem**	**perderam**

imperativo negativo: não perca

O que é necessário fazer quando se perde a carteira de identidade?

____

____

____

____

ATIVIDADES

Cada aluno escreve, num papel, o nome de uma pessoa famosa. Pode ser atleta, político, cantor, ator, escritor, ator, pianista, etc. Vivo ou já falecido.

O professor recolhe os papéis, mistura-os e tira um deles. Exemplo: *Robert Redford.*

Em seguida, solicita a um aluno que dê dicas sobre o ator e os colegas tentam adivinhar seu nome.

Se ninguém acertar, o aluno mostrará o papel aos colegas. O professor pedirá a outro aluno para tirar um novo nome, e assim por diante.

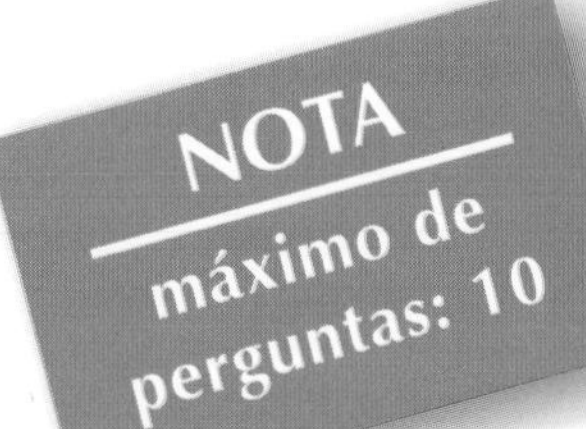

Repetir o exercício trocando o nome de pessoas famosas por objetos úteis.
Exemplo: *Telefone.*

Dicas: Pode ser de várias cores. Em algumas cidades é muito caro.

SOBRE TELEVISÃO

Escreva a programação de amanhã de seu canal preferido.

____
____
____
____
____
____
____
____
____
____

Qual é a sua opinião sobre comerciais?

( ) São necessários. Assim, posso *estar por dentro* das novidades.
( ) São desnecessários.
(outra opinião) ____________________

Qual foi o comercial mais chato que você já viu na televisão?

____
____

NÃO COUBE TUDO NA SACOLA

COMPLETE O DIÁLOGO

Você se encontra, por acaso, com uma amiga numa rua do centro. Ela carrega alguns pacotes pesados e duas sacolas, com dificuldade.

Você: *Puxa! Você*

____

Amiga: *Eu preciso de tudo isso. Roupas, sapatos e toalhas.*

Você: *Você veio de carro?*

Amiga: *Sim, ___________. Ele está no estacionamento a duas quadras daqui. Eu trouxe estas sacolas, mas não coube tudo aqui.*

Você: *Posso ajudá-la?*

Amiga: *Obrigada! Que gentileza.*

Você: *Ora, é um prazer. Então, vamos.*

Amiga: *O que você prefere levar? Esta sacola ou estes pacotes?*

Você: *Me dê estes pacotes. Parecem muito pesados.*

... a duas quadras daqui — estacionamento

FOCALIZAÇÃO

Verbo *caber* - irregular
Modo Indicativo

caber

	presente	pretérito perfeito
eu	caibo	coube
ele - ela - você	cabe	coube
nós	cabemos	coubemos
eles - elas - vocês	cabem	couberam

ATIVIDADE

Três alunos trazem sacolas de tamanhos diferentes. Cada estudante escolhe um objeto e faz perguntas ao colega. Ex. Livro

– Este livro cabe nesta sacola?
– Sim, cabe.
– Não, não cabe.

Faça perguntas:

____

- Na ambulância cabem dois feridos.

____

- Não. Os feridos estão inconscientes.

____

REVISÃO

Escreva sobre os divertimentos que uma cidade pequena pode oferecer aos habitantes.

____

____

____

____

____

Escreva algumas vantagens e desvantagens da vida do circo.

Vantagens: ___________________________

____

____

Desvantagens: ___________________________

____

____

Quais são as atrações circenses nas quais os artistas mais se arriscam?

____

Complete o diálogo:

– Você soube o que _____________ (acontecer)?
– Não.
– Pedro e Lúcia _____ (ir) ao circo. O filho deles _________ (sair) para comprar pipoca. **Mas ele se perdeu!**
– E o que os pais __________ (fazer)?
– Eles _________ (pedir) para anunciar no alto-falante. Finalmente, depois de algum tempo, eles __________ (poder) achar o filho.
– Que sufoco.

Marque o que não é necessário saber para pedir informações sobre uma pessoa perdida:

( ) idade
( ) tipo sangüíneo
( ) cor dos cabelos e olhos
( ) roupas

ATIVIDADE

Apresente, com seu colega ao lado, cinco situações de "sufoco".
Exemplo: O carro pára na estrada por falta de gasolina. **QUE SUFOCO!**

NATAÇÃO

Uma piscina olímpica tem 1.890.000 litros de água (volume: 1890 m^3). Ela mede cinqüenta metros de comprimento e 22,8 metros de largura. São oito raias, cada uma com dois metros e meio de largura.
A profundidade mínima é de 1,98 metro. Nas provas oficiais, os melhores qualificados nas eliminatórias ficam nas raias 4 ou 5, pois são as que têm menos turbulência.
A temperatura da água é constante: 25º C.

Fonte: Guia dos Curiosos, Cia. das Letras.

raia

Estilo Medley

É uma competição que junta os quatro estilos. Se for uma disciplina individual, a ordem é esta: borboleta, costas, peito e livre. No caso de uma equipe, cada um dos quatro nadadores faz um estilo, neste ordem: costas, peito, borboleta e livre.

Qual deles você prefere?

Nado livre ou crawl:	7,2 km/h
Nado borboleta:	6,63 km/h
Nado de costas:	6,5 km/h
Nado de peito:	5,7 km/h

A envergadura (distância entre as extremidados dos braços abertos) do nadador brasileiro Gustavo Borges é de 2,33 metros.

Fonte: O Guia dos Curiosos, Cia das Letras.

Responda:

Você já teve oportunidade de ir a uma Olimpíada?

____

Quais são os seus esportes favoritos para assistir pela televisão?

____

Um atleta deve seguir uma disciplina muito rígida? O que você sabe a respeito?

____

COMPLETE O DIÁLOGO

– Alguma vez você já __________ (acampar)?
– Sim, já ________________.
– E alguém do seu grupo __________ (perder-se)?
– Sim, Ana, você a conhece, não é? Mas foi por pouco tempo porque logo ela começou a gritar. Assim, ____ (ser) muito fácil encontrá-la.
– E vocês esqueceram alguma coisa?
– Sim. Nós ______________ (esquecer) de levar fósforos. Você ______________ (acreditar)?
– Que coisa, hein?

O palito de fósforo está aceso ou apagado?

– A barraca já está armada?
– Falta pouco. Estou amarrando a última estaca.

O que mais é necessário levar num acampamento, além de mochila, saco de dormir, liquinho e barraca?

Quando alguém está perdido na floresta, grita: ( ) Espere! ( ) Fique aí! ( ) Socorro!

QUE TAL UM SORVETE?

Ana: *Estou com muito calor.*
Pedro: *Pudera! Você está com um casaco de lã! Por que é que você não o tira?*
Ana: *Acho que vou fazer isso. Dá para você segurar minha pasta?*
Pedro: *Dá, sim. E que tal um sorvete?*
Ana: *Boa idéia. Vamos naquela sorveteria?*
Pedro: *Qual? Há duas. Uma na esquina e outra no meio da quadra.*
Ana: *Naquela da esquina. Eles têm sorvete com casquinha. Eu adoro!*
Pedro: *Vamos. Estou com vontade de tomar um sorvete de morango.*
Ana: *E eu estou morrendo de vontade de tomar um de limão.*

– Queremos sorvete.
– Casquinha ou copinho?
– Casquinha.

ESTAR COM VONTADE DE:
viajar de avião - jogar tênis - comer pizza - ler o jornal
dormir o dia inteiro - sair - dar uma volta - ir ao cinema

Escreva três coisas que você:
a) está com vontade de comer
b) está com vontade de beber
c) está com vontade de comprar

PRECISO PÔR GASOLINA NO CARRO

TANQUE CHEIO

Vítor já **leu** o jornal e foi para o trabalho com sua esposa. Mas, ao sair, **viu** que o ponteiro do marcador de gasolina estava na reserva.

– Preciso ir ao posto para **pôr** gasolina. Disse à esposa.
Ao chegar no posto, o frentista disse:
– Bom-dia!
– Bom-dia!
– Cheio?
– Sim. Pode completar, por favor.
– O senhor também quer calibrar os pneus?
– Os pneus dianteiros estão um pouco vazios.
Mas vou voltar mais tarde, lá pelas seis. Estou atrasado.
– Tudo bem. Tenha um bom-dia.
– Obrigado, igualmente.

Que sufoco!

O que fazer quando, de repente:
a. o carro enguiça
b. há muita neblina
c. o pneu fura
d. começa a chover e não há visibilidade
e. os pneus estão vazios

FOCALIZAÇÃO

Verbos irregulares
Modo indicativo

ler - pôr - dizer - vir

	presente	**pretérito perfeito**
eu	leio/ponho/digo/venho	li/pus/disse/vim
ele - ela - você	lê/põe/diz/vem	leu/pôs/disse/veio
nós	lemos/pomos/dizemos/vimos	lemos/pusemos/dissemos/viemos
eles - elas - vocês	lêem/põem/dizem/vêm	leram/puseram/disseram/vieram

imperativo: ler: leia / pôr: ponha / dizer: diga / vir: venha

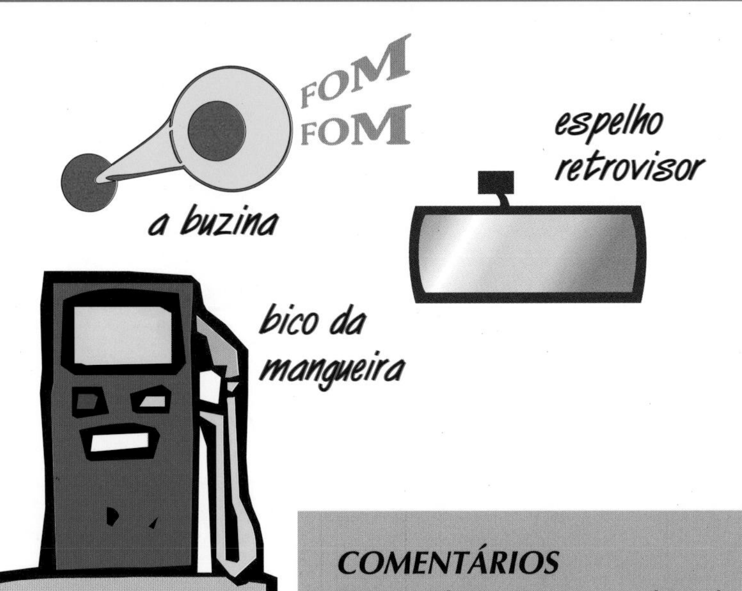

COMENTÁRIOS

Em que lugares não se deve buzinar? Explique as razões.

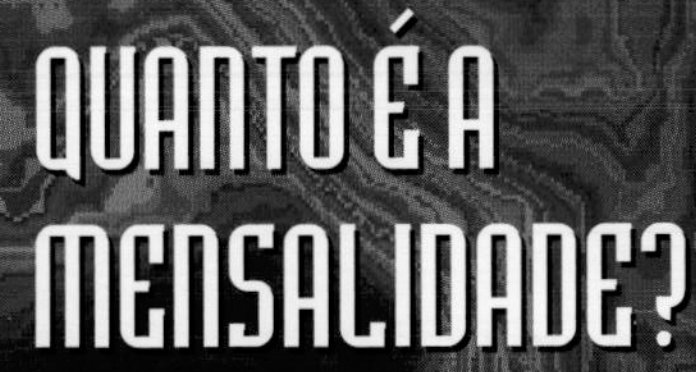

COMPLETE O DIÁLOGO

José: *Você ____ (ser) sócio do Clube Azul?*
Mário: *Sou, sim.*
José: *Quanto é a mensalidade?*
Mário: *R$________*
José: *No clube ____ (ter) piscina?*
Mário: *Tem. Para adultos e crianças.*
José: *O que mais?*
Mário: *Tem quadras de tênis, basquete, campos de futebol. Também tiro ao alvo, sauna e salas para ginástica.*
José: *Este clube ____ (ser) muito bom!*
Mário: *É fantástico. Meus filhos _______ (gostar) muito. Você quer ________ (comprar) o título?*
José: *Quanto custa?*
Mário: *R$ ____________*
José: *Vou* ***pensar no*** *assunto. Estou com muita vontade de ficar sócio deste clube. Vou _______ (falar) com minha esposa. Obrigado.*
Mário: *De nada.*

natação

tiro ao alvo

ATIVIDADE

Pergunte ao seu amigo sobre os diversos clubes que há em seu país, condições para ser sócio, divertimentos que oferecem e valor das mensalidades.

COMPLETE O DIÁLOGO

Use: *em - já - pode - num*

– Alguma vez você já pensou ___ voar _____ balão?
– Já. Deve ser fascinante. E você?
– Eu também ____. Mas tenho medo.
– Por quê?
– A gente ______ se perder.

Você já **pensou em** voar?

____

O que você estava com vontade de comer?

– Ontem eu ________________________ salada de rabanete, mas meus primos ________________________ de comer pepino em conserva.

rabanete

pepino em conserva

PRATICANDO

não tira o casaco - Por que ***é que*** você não tira o casaco?

1. não compra a casa ______________________________
2. não conserta a cadeira ______________________________
3. não visita Ana ______________________________
4. não desliga o rádio ______________________________

segurar a pasta - ***Dá para*** você segurar a pasta?

1. fritar os ovos ______________________________
2. comprar os bilhetes ______________________________
3. rechear o bolo ______________________________
4. enfeitar o bolo ______________________________

PESQUISA

Informe-se a respeito dos clubes de sua cidade.
Quais são as atividades sociais mais freqüentes? ________________

____

CUIDADO! ELE VAI CAIR!

NUMA LOJA DE ARTIGOS PARA PRESENTES

Menino: O que é aquilo?
Vendedor: É um vaso de cerâmica.
Menino: De onde é?
Vendedor: Da Bahia.
Menino: Posso dar uma olhada? Estou escolhendo um presente para dar para a minha mãe.
Vendedor: Claro! Fique à vontade.
Cuidado! Você vai bater com o braço num vaso.
Menino: Ih! Já bati!
Vendedor: Que pena! O vaso caiu da prateleira e quebrou.
Menino: Desculpe! Foi sem querer.
Vendedor: Ora, não se preocupe. Este vaso não é muito caro. Não é necessário pagá-lo.
Menino: Obrigado.

FOCALIZAÇÃO

Verbo irregular
Modo indicativo

cair

	presente	pretérito perfeito
eu	caio	caí
ele - ela - você	cai	caiu
nós	caímos	caímos
eles - elas - vocês	caem	caíram

imperativo negativo: não caia

Ele quebrou **sem querer.**
Ele quebrou **de propósito.**

Complete o diálogo:

– Quem quebrou minha garrafa de bebida?
– Fui eu. Desculpe, mas ______
____

COMPLETE O DIÁLOGO

– Os preços dos aluguéis caíram?
Não, ______________________
– Os preços dos imóveis caíram?
Não, ______________________

– Os preços dos automóveis usados caíram?
– Sim, ______________________
– Os preços dos carros O Km caíram?
– Não, ______________________

ATITUDES

Se um freguês quebrar um artigo numa loja, ele deve:
a. pagar
b. fingir que não aconteceu nada
c. sair da loja rapidamente
d. culpar outro

LEVE E SAUDÁVEL

A carne de avestruz tem sabor de filé mignon, menos calorias e menos gordura do que a carne de peru. E mais: tem pouco colesterol. Por isso é recomendada pelas Sociedade Brasileira e Americana de Cardiologia e já freqüenta regularmente a mesa dos europeus, japoneses e norte-americanos.

CALORIAS POR 100 GRAMAS

Avestruz	96,6
Peru	135,0
Frango	140,0
Boi	240,0

Fonte: Revista Bárbara - Editora Símbolo - set/99

Trocando idéias

Hoje em dia, as pessoas preferem:

comer alimentos com mais ou menos calorias?__________

fazer pão em casa ou comprar na panificadora?_________

usar roupas formais ou informais?____________________

ter muitos ou poucos filhos?_________________________

consumir demais ou fazer economia?__________________

Ouça o diálogo:

– O que a sua irmã faz?

– Ela é motorista de caminhão.

– Você está brincando?

– Não, estou falando sério.

– Mas não é perigoso?

– Eu acho. Mas ela não.

DISCUSSÃO

– O que você acha de uma mulher ser motorista de ônibus, de táxi ou de caminhão?

– Que profissões, na sua opinião, são consideradas essencialmente masculinas? Diga as razões.

ESTOU MUITO CHATEADO

COMPLETE O DIÁLOGO

– ____________ (estar) muito chateado.
– Por quê?
– Porque meu CD favorito _____ (cair) e _______ (quebrar).
– Posso vê-lo?
– Claro. Eu ainda não o _________ (jogar) fora. Vou pegá-lo no Porta-CDs.
Já procurei outro em todas as lojas da cidade e não há mais nenhum. Disseram que não sabem quando vai chegar o novo pedido.
– Pudera! Neste CD só há músicas de sucesso. Mas eu posso lhe emprestar o meu.
– Legal! Obrigado.

o CD

Você tem um gravador? ________________

a fita

Alguma vez você já teve a oportunidade de assistir a um show internacional? ________
Onde foi? ________
Alguns fãs conseguiram autógrafo? ________

Como podemos manter os CDs e fitas em bom estado?
____
____
____
____

Ponto de vista

Os bons cantores sempre têm sucesso no início de suas carreiras?

____

Você pode citar alguns cantores que tiveram muitas dificuldades no início de suas carreiras, mas que hoje fazem muito sucesso?

____

____

a capa do CD

CHAMADA A COBRAR

Luís telefona para Carlos de um orelhão, a cobrar.

Ele disca: 90 - 90 - 3333-4556 e Carlos atende.

A gravação diz:

"Chamada a cobrar. Para aceitá-la continue na linha após a identificação."

– *Aqui é Luís.*

Carlos aceita a ligação e não desliga.

– *Oi, tudo bem? O que aconteceu?*

– *Nada sério. Eu estou ligando a cobrar porque meu cartão terminou. Eu comprei o último CD da Gal Costa e gostaria de saber se você pode ir lá em casa hoje à noite para ouvi-lo. Que tal? O Fernando e a Vera também vão.*

– *Boa idéia. Obrigado pelo convite. Eu sou fã da Gal.*

– *Lá pelas oito, está bem para você?*

– *Está ótimo.*

"Chamada a cobrar. Para aceitá-la continue na linha após a identificação"

PROTEJA O QUE É SEU

o orelhão

Telefones públicos: compre cartão

Os vândalos costumam:

( ) proteger as propriedades

( ) destruir as propriedades

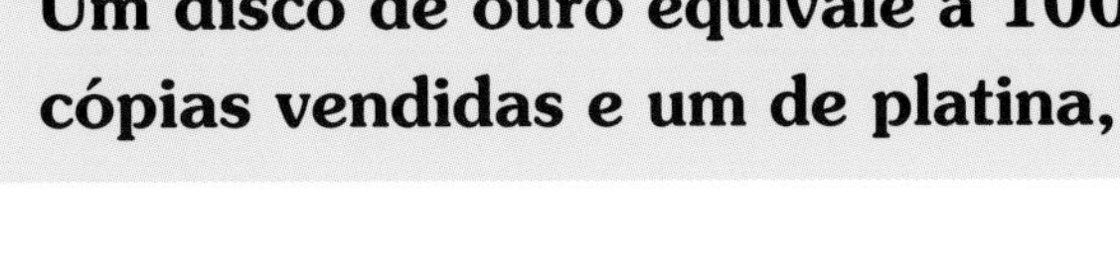

CURIOSIDADE

Um disco de ouro equivale a 100 mil cópias vendidas e um de platina, a 250 mil.

Observe as afirmações e marque os seus significados correspondentes:

1. só dá sinal de ocupado
2. só chama, mas ninguém atende
3. tem linha cruzada

( ) É aconselhável desligar e ligar novamente porque é possível ouvir a conversa de outras pessoas e vice-versa.

( ) É necessário tentar depois de alguns minutos. Com certeza, alguém está usando o telefone.

( ) Não há ninguém em casa.

REVISÃO

Responda:

– Você comprou o título do clube?
– Sim, eu________________________

– Vocês aprenderam a jogar boliche?
– Sim, nós________________________

– Você pensou em viajar para Brasília?
– Não, eu ainda não ________________________

– Vocês compraram um carro novo em folha ou de segunda mão?
– Sim. Finalmente, nós ____________________

Faça perguntas para as seguintes respostas:

– ____
– Eu fiz uma torta salgada.

– ____
– Eu chamei um chaveiro.

– ____
– Eu dei um autorama para o meu sobrinho.

– ____
– Eu trouxe cinco agendas eletrônicas na mala.

– ____
– Eu vi o Desfile de Escolas de Samba no sambódromo.

– ____
– Eu deixei a carteira na bolsa.

– ____
– Eu vim aqui de metrô.

PRATICANDO

ele comprou
eles compraram

ele chegou
____

ele vendeu
____

ele desistiu
____

ele caiu
____

ele pôs
____

ele disse
____

ele leu
____

ele veio
____

ele esteve
____

ele foi
____

SITUAÇÃO

Na semana passada, você comprou um carro de segunda mão por R$ 15.000,00. Hoje, conseguiu vendê-lo por R$ 16.000,00.

Você teve lucro ou prejuízo?
____

De quanto?
____

SUPERMERCADO O PREÇO BAIXO

APROVEITE! NÃO PERCA!

NÓS SERVIMOS MELHOR

OFERTAS VÁLIDAS DE 22 A 30/10

HIGIENE E LIMPEZA	Detergente	0,96
	Creme dental	0,75
	Vassoura	5,00
HORTIFRUTI	Couve	0,30 / maço
	Limão	0,45 / kg
	Maçã	2,00 / kg
	Alface	0,10 / pé
	Laranja	2,00 / pacote
ALIMENTÍCIOS	Bolo Italiano	2,89 / unidade
	Biscoito de baunilha	0,90 / pacote
	Tortinha recheada	0,50 / unidade
PERECÍVEIS	Presunto	5,90 / kg
	Queijo de Minas	6,00 / kg
	Lingüiça	3,50 / kg
BEBIDAS	Whisky Escocês Chivas Regal 750 ml	36,00
	Licor Irlandês 375 ml	18,00
	Vinho Português 750 ml	4,99
BAZAR	Jogo para microonda com 30 peças	23,00
	Forminha para gelo	1,00
	Jogo de mantimentos com 5 peças	10,00
	Forma de bolo	2,30
	Jogo de mesa americano com 12 peças	5,80

RESPONDA

1. É útil fazer pesquisa de preços ou é perda de tempo?

____

2. Como os supermercados tentam atrair os clientes? As promoções, normalmente, são diárias ou semanais?

____

O QUE ELES ESTÃO FAZENDO?

DIÁLOGO

– Olhe! Lúcia **está correndo**.
– E João, seu marido, **está andando** de bicicleta.
– Todas as tardes eles saem de casa.
– Você gosta de andar no parque?
– De vez em quando. E você?
– Às vezes, também. Depende do tempo. Estou **pensando em** comprar uma esteira para fazer exercícios em casa. Assim, vou poder praticar todos os dias, com bom ou mau tempo.

Escreva quais são os aparelhos de ginástica que você conhece: ______________________________
____
____

Hoje em dia, fala-se muito em se ter uma academia em casa. O que você acha? É prático? Quais são as vantagens e desvantagens? É somente uma mania? É modismo?

FOCALIZAÇÃO

Presente contínuo

dar - fazer - ir

verbos em **-ar**: -ando	**dar:**	estar dando
verbos em **-er**: -endo	**fazer:**	estar fazendo
verbos em **-ir**: -indo	**ir:**	estar indo

Descreva o que eles estão fazendo:

▶ ______________________________
____
____

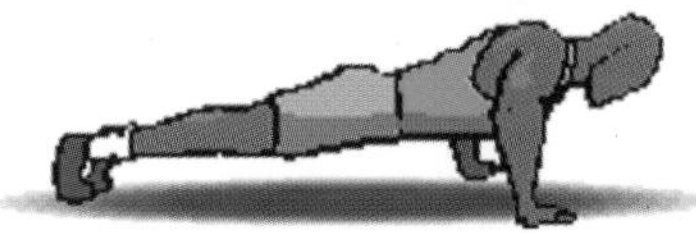

▶ ______________________________
____
____

▶ ______________________________
____
____

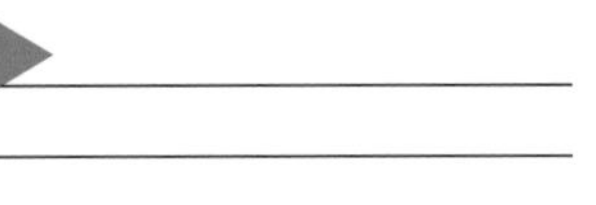

▶ ______________________________
____
____

Praticando

dar - dando	**estar**__________	**ter**__________	**fazer**__________	**ver**__________
ler __________	**vir** __________	**seguir**__________	**ouvir**__________	**pensar**__________
ir __________	**pôr**__________	**depor** __________	**compor** __________	**comprar**__________

COLECIONAR CARTÕES DE TELEFONE VIRA MANIA

No final de 1995, durante um leilão na cidade holandesa de Maastricht, um colecionador paulista arrematou um cartão de 1987 com a imagem do craque Romário driblando um jogador irlandês, por 650 dólares, enquanto um cartão comum custa, no máximo, 3 reais. Dias depois, já de volta ao Brasil, o colecionador revendeu a preciosidade.

Os primeiros telefones públicos a cartão foram instalados no Rio de Janeiro, em 1992, e no ano seguinte em São Paulo.

Os cartões mais valiosos são os usados em testes antes de 1992, como o de Romário. "Os protótipos fabricados antes da implantação do sistema tornaram-se raridade e podem valer até 2.500 reais cada um", explica o colecionador carioca Fernando Falcão Henriques, dono de uma coleção de 5.000 cartões de várias partes do mundo.

As associações de telecartofilistas começam a pipocar em várias cidades. Aos domingos, seus sócios se reúnem, por exemplo, no Passeio Público do Rio de Janeiro e na feira de artesanato da Praça da República em São Paulo.

Fonte: Veja, 29/12/95

ATIVIDADES

1. Escreva algumas manias de seus colegas que o incomodam.

____

2. Falando de manias:

a. Quando meu amigo está assistindo ao jogo de futebol, ele tem mania de

____

b. Quando nossa empregada está fazendo a comida, ela tem mania de

____

c. Quando meu vizinho está cortando a grama, ele tem mania de

____

d. Quando meu vizinho está esperando o ônibus, ele tem mania de

____

AJUDA
- assobiar
- cantar
- olhar no relógio de dois em dois minutos
- balançar as pernas
- gritar

3. Para fazer parte de alguns grupos de colecionadores, é necessário ter muito dinheiro?

______________ Que grupos, por exemplo? ______________________________

4 .O que você gostaria de colecionar?

( ) latinhas de cerveja ( ) miniaturas ( ) canetas ( ) selos ( ) chaveiros ( ) carros antigos

QUEM ESTÁ GANHANDO O JOGO?

O Flamengo **está jogando** contra o Atlético.

Luís gosta muito de futebol e **está assistindo** ao jogo pela televisão.

Ele torce para o Flamengo mas seu pai torce para o Atlético.

Pai: Quem **está ganhando** o jogo?

Filho: O Flamengo. Está 1 X 0.

Pai: Não acredito!

Filho: Olhem! Bidu pegou a bola, driblou a defesa.
Não tem ninguém na frente dele.
Ele vai fazer um gol.
GOL!!!!!!!!.....

Pai: Não é possível! **Estamos perdendo** de novo.
Alguém tem que fazer alguma coisa.
É necessário trocar o técnico.

Mãe: Coitado do técnico. Sempre que o time perde o jogo, o técnico perde o emprego. O técnico sempre **paga o pato.**

ALEXANDRE SANTANNA / ABRIL IM

Torcida do Flamengo

PELÉ - O REI DO FUTEBOL

LUIZ PAULO MACHADO / ABRIL IMAGENS

NELSON COELHO / ABRIL IMAGENS

Édson Arantes do Nascimento, Pelé, nasceu em Três Corações, Minas Gerais. Seu primeiro apelido futebolístico foi "Gasolina".

Número de jogos: 1366
Número de gols: 1282
Número de títulos: 32

Fonte: O Guia dos Curiosos - Cia das Letras - 5ª reimpressão - página 177

Responda:

1. Em competições individuais, quem é o seu atleta favorito?

___

2. Atualmente, quem são os melhores jogadores de futebol do mundo?

___

PARA QUE TIME VOCÊ TORCE?

COMPLETE O DIÁLOGO

– Ontem, você assistiu ao jogo?
– Sim, eu ____________.
– Para que time você torce?
– Eu _________ para o Atlético.

Sobre futebol

O Clube Real Betis, da Espanha, pagou, em 28 de agosto de 1997, US$ 36 milhões ao São Paulo pelo passe do jogador de futebol Denilson de Oliveira. Ele tinha apenas 20 anos e estreou na seleção brasileira aos 19 anos.

ATIVIDADE

Esqui, beisebol, asa-delta, hóquei, iatismo, futebol...

1. Qual é o seu esporte favorito? ________________
2. Explique as principais regras. ________________
3. Você joga futebol?________________
4. Você joga bem ou é um perna de pau?____________

Verbos irregulares
Modo indicativo
Alguns verbos com terminação em *-ear*:
clarear
nomear
folhear
passear
cear
recear
rechear
presentear

FOCALIZAÇÃO

Observe a conjugação especial do verbo estrear: *estrear*

	presente
eu	estréio
ele - ela - você	estréia
nós	estreamos
eles - elas - vocês	estréiam

RESULTADOS DOS JOGOS

1. **Flamengo 0 x Ponte Preta 2**
2. **Espanha 3 x Itália 2**
3. **Brasil 2 x Inglaterra 2**

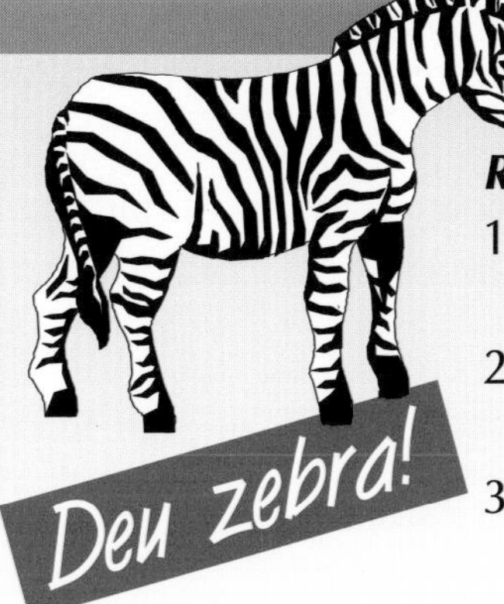

Responda:

1. Espanha e Itália: quem ganhou o jogo?
   ____
2. Flamengo e Ponte Preta: quem perdeu?
   Deu zebra. O Flamengo __________
3. E o jogo Brasil e Inglaterra?
   ____

O que eles estão fazendo?

______________________ ______________________ ______________________

Complete:

1. (folhear) Eles ______________________ as revistas.
2. (consertar) Vocês ______________________ o teto?
3. (instalar) Ele ______________________ o ventilador de teto.
4. (afastar) As crianças ______________________ as cadeiras da parede.
5. (arrumar) As moças estão ______________________ o casarão.

Neste momento:

( ) está fazendo frio
( ) está fazendo calor
( ) está chovendo

QUEM...

a. procura desafios é ______________________

b. quer tudo para si próprio é ______________________

c. sempre interrompe alguém que está falando é ______________________

Dicas: mal-educado, ambicioso, egoísta.

Continue as frases:

1. Uma pessoa simpática é aquela que ______________________
2. Uma pessoa chata é aquela que ______________________

Faça perguntas usando o seguinte texto:

No dia 10 de junho de 1997, em Viena, a tenista Steffi Graf foi submetida a uma cirurgia devido a uma contusão no joelho esquerdo.

____
____
____
____

PAGANDO O PATO

Situação: Na festa de aniversário em sua casa, uma criança quebra um vaso muito caro. Alguém paga o pato ou você nem liga?

____

Na escola, você pagou o pato alguma vez? O que foi que aconteceu?

____

PENSO EM VIAJAR

As duas amigas estão conversando sobre as próximas férias:

- Eu gostaria de viajar para a Itália. E você?
- Estou **pensando em** viajar para a Grécia.

FOCALIZAÇÃO

Pensar + preposição em + verbo no infinitivo

Transforme: (viajar para a Itália) Estou ***pensando em*** viajar para a Itália.

1. (viajar para o Egito) Nós ____________________
2. (comprar um carro novo em folha) Eles ____________________
3. (refazer o relatório) Eu ____________________

Pensar + preposição em + artigos (o-os / a-as) • em + artigos (um-uns / uma-umas)

Transforme: (o filho) Ela está ***pensando no*** filho.

1. (os filhos) Nós ____________________
2. (a filha) Elas ____________________
3. (as filhas) Vocês ____________________

1. em + um = num problema
2. em + uns = nuns problemas
3. em + uma = numa viagem
4. em + umas = numas viagens

Pensar + preposição em + pronomes:

1. em + este= **neste** problema	em + estes= **nestes** problemas	em + isto = **nisto**
2. em + esta = **nesta** solução	em + estas = **nestas** soluções	
3. em + esse = **nesse** assunto	em + esses = **nesses** assuntos	em + isso = **nisso**
4. em + essa = **nessa** viagem	em + essas = **nessas** viagens	
5. em + aquele = **naquele** filme	em + aqueles = **naqueles** filmes	em + aquilo = **naquilo**
6. em + aquela = **naquela** idéia	em + aquelas = **naquelas** idéias	

NINGUÉM ATENDEU

COMPLETE O DIÁLOGO

Mário: A que horas você chegou em casa ontem?
Jorge: Às dez e meia. Mas você nem imagina o que ____________ (acontecer). Quando ____________ (chegar) em casa não achei a chave. Eu a ________ (perder) em algum lugar.
Mário: E o que você __________ (fazer)?
Jorge: Primeiro fui até o orelhão telefonar para o meu irmão. Às vezes, ele costuma fazer serão. Mas ele não estava no escritório.
Mário: E depois?
Jorge: Telefonei para um chaveiro. Mas ninguém ___________ (atender).
Mário: E daí?
Jorge: A única saída foi voltar para casa e esperar o meu irmão, sentado na escada.
Mário: E ele _____________ (demorar) muito para chegar?
Jorge: E como! Ele só chegou à meia-noite. Finalmente, eu ______________ (poder) tomar meu banho e dormir.
Mário: Até que enfim, hein?

FOCALIZAÇÃO

pronomes indefinidos

ninguém - alguém

Complete com os respectivos pronomes:

– __________ telefonou?
– Sim, Mário telefonou.
– Alguém chamou o chaveiro?
– Não, ___________ chamou o chaveiro.

– ______________ deixou recado?
– Sim, Mônica deixou um recado urgente para você.
– _____________ desistiu do curso?
– Não, _____________ desistiu do curso até agora.

QUAL É A SAÍDA?

Quando eu perco uma chave:
( ) chamo alguém para arrombar a porta
( ) eu mesmo arrombo a porta
( ) chamo um chaveiro

SOS CHAVEIRO
PLANTÃO 24 HORAS
fone: 3232-1411

CONTINUE AS FRASES

Carlos fez uma reunião muito importante e está muito cansado. Agora, até que enfim,

____

AJUDA
- ele pode dormir tranqüilo
- a dor passou e ele adormeceu
- ele pode roncar

____

Valter estava com dor de cabeça. Agora, até que enfim,

____

TEM ALGUM RECADO PARA MIM?

COMO DEIXAR RECADOS?

Ana: Tem **algum** recado para mim?
Rita: Sim. Pedro telefonou.
Eu escrevi o recado. Está aqui.
Ana: Ele disse mais **alguma** coisa?
Rita: Não. **Deu para perceber** que estava **morrendo de pressa.**

RECADO DE: PEDRO
PARA: ANA
URGENTE
ESTEJA NO AEROPORTO
ÀS 14:00 HORAS.

FOCALIZAÇÃO — *pronomes indefinidos*

afirmativo	***negativo***
algum - alguma	nenhum - nenhuma
alguns - algumas	

Complete:

– Tem algum recado?
– Não, ___________

– Tem alguma dúvida?
– Não, ___________

A SEU VER

1. Em que circunstâncias é necessário deixar ***algum*** recado?
2. ***Alguns*** comerciais deveriam ser proibidos na televisão? Cite exemplos.
3. ***Alguma***s pessoas deveriam pagar mais impostos do que outras? Por quê?
4. ***Alguns*** produtos alimentícios deveriam ser tirados do mercado?

Preciso responder todas as cartas até amanhã.

FOCALIZAÇÃO — *pronomes indefinidos*

todo - toda
todos - todas

Complete com todo - toda todos - todas:

______ as cartas
______ as garrafas
______ os copos
______ as crianças
______ os problemas
______ os sofás
______ as facas
______ os mapas
______ os telefones

VOCÊ CONCORDA OU DISCORDA?

Numa novela, algumas pessoas acham que todo vilão tem que ser engraçado, charmoso e até irônico. Sofrer só no final? Não mesmo. Deve sofrer também no meio da história.

Dê sua opinião, começando sua frase com uma das seguintes sugestões:

A meu ver...
Eu discordo porque...
Parece verdade, mas...
O vilão ou a vilã precisam...

EU ACREDITO NISSO

FOCALIZAÇÃO

Verbos seguidos de preposição: acreditar em / confiar em

1. **em + pronomes pessoais**

(eu)	**em mim**
(ele)	**nele**
(ela)	**nela**
(você)	**em você**
(nós)	**em nós**
(eles)	**neles**
(elas)	**nelas**
(vocês)	**em vocês**

2. **em + artigos**

(o)	no amigo
(os)	nos amigos
(a)	na amiga
(as)	nas amigas
(um)	num amigo
(uns)	nuns amigos
(uma)	numa amiga
(umas)	numas amigas

Transforme:

1. Confio (ele).

____

2. Acredito (ela).

____

3. Confio (eles).

____

4. Acredito (o amigo).

____

5. Acreditamos (as amigas).

____

em + pronomes demonstrativos

(este)	Eu acredito neste comercial.
(estes)	Eu acredito nestes comerciais.
(esta)	Eu acredito nesta propaganda.
(estas)	Eu acredito nestas propagandas.
(isto)	Eu acredito nisto.
(esse)	Eu confio nesse vendedor.
(esses)	Eu confio nesses vendedores.
(essa)	Eu confio nessa vendedora.
(essas)	Eu confio nessas venderoras.
(isso)	Eu confio nisso.
(aquele)	Eu não acredito naquele mecânico.
(aqueles)	Eu não confio naqueles homens.
(aquela)	Eu não confio naquela mulher.
(aquelas)	Eu não confio naquelas mulheres.
(aquilo)	Eu não acredito naquilo.

Situação: Ari levou o seu carro à oficina mecânica para revisão.

Mecânico: O seu carro está com problema elétrico e também é necessário trocar a bateria.

Ari: Eu **acredito nisso.** Afinal, esta bateria já durou quase três anos.

Transforme com os verbos pensar / acreditar / confiar:

1. Nós pensamos muito (as crianças).

____

2. Elas pensam (ele) todos os dias.

____

3. Nós acreditamos (elas).

____

4. Vocês confiam (ele)?

____

FAZENDO GINÁSTICA

MALHAÇÃO

Carlos quer emagrecer dez quilos e freqüenta a academia de ginástica três vezes por semana. Mas sempre que sai, **vai direto** a uma lanchonete e pede alguma coisa para comer e beber.

Ele sempre come e bebe **tudo**! Não sobra **nada**!

Outro dia, alguns amigos falaram para ele:

– *Assim* ***não adianta nada*** *malhar na academia. Você precisa fazer uma dieta também.*

malhando na academia

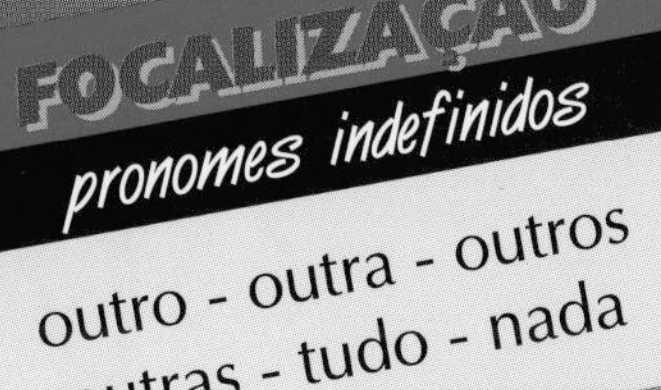

FOCALIZAÇÃO

pronomes indefinidos

outro - outra - outros
outras - tudo - nada

O contrário de:
a. emagrecer é ____________
b. sobrar é ____________

EM FORMA

Fazer ginástica entre às 4 da tarde e às 7 da noite traz maiores benefícios à saúde. Isto porque, neste horário, a temperatura corporal, a flexibilidade e a força musculares estão no seu ápice. Os movimentos ficam 30% mais fáceis.

ATIVIDADES

1. Leia o texto acima para um colega e faça comentários.
2. Escreva os riscos que alguém corre ao exagerar na prática de exercícios físicos.
3. Complete:
   a. Quando saio do trabalho, sempre vou direto ____________

   b. Quando termina o jogo de futebol, os jogadores vão direto ____________

4. Dê sua opinião:
   a. adianta ou não adianta estudar em cima da hora para fazer um teste?
   b. adianta ou não adianta fazer uma cirurgia quando uma doença é incurável?
   c. adianta ou não adianta malhar para perder peso?

QUANTA COMIDA!

COMPLETE O DIÁLOGO

Mário chega em casa do trabalho e pergunta:

– *Alice, o que você ________________ (preparar) para o jantar?*

– *Arroz, farofa, frango assado e uma salada de palmito.*

– *Nossa! Quanta comida! Você ___________ (convidar) alguém para jantar conosco?*

– *Não, eu não __________________*

– *Hum! Que cheirinho bom! A comida deve estar deliciosa. Daqui a quanto tempo o jantar ________________ (ficar) pronto?*

– *Daqui a pouquinho. Enquanto você espera, por que não prepara uma batida?*

– *Boa idéia. De que você gostaria? De coco ou de limão?*

– *Qualquer uma.*

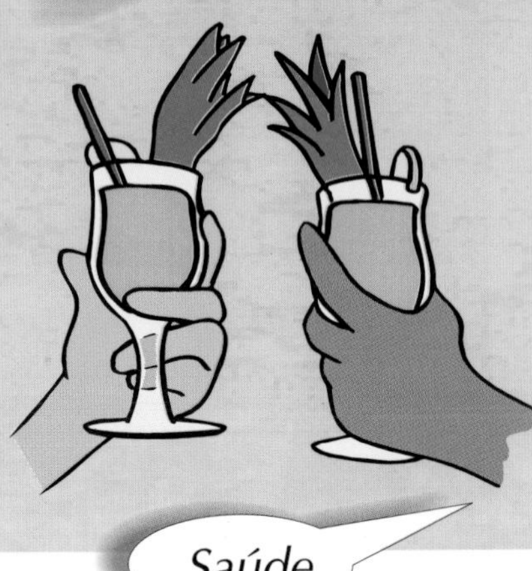

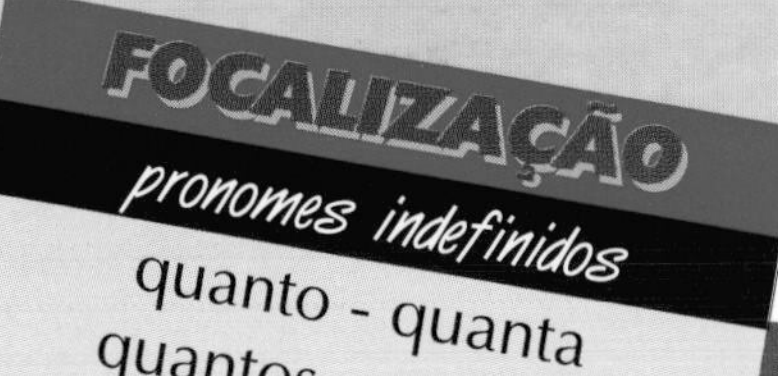

FOCALIZAÇÃO

pronomes indefinidos

quanto - quanta
quantos - quantas

COMPLETE

Quantas coisas!

_________ carne!

_________ molho!

_________ pirulitos!

INFORMAÇÃO

média por habitante/ano
Brasil - vinho - 2 litros

ATIVIDADE

Fale do consumo de bebidas, em geral, de seu país.

NEGRINHO DO PASTOREIO

Na tradição gaúcha, o negrinho do pastoreiro é uma espécie de anjo bom, ao qual se recorre para achar objetos perdidos ou conseguir graças. Trata-se de um negrinho escravo que o dono de uma fazenda pune injustamente, açoitando-o e depois amarrando-o sobre um formigueiro. Mas o seu corpo aparece intacto no dia seguinte, sem nenhuma picada, e sua alma passa a vaguear pelos pampas.

SACI-PERERÊ

Negrinho de uma perna só, o saci-pererê fuma cachimbo e cobre a cabeça com carapuça vermelha. É inofensivo, mas se diverte assustando gado no pasto, dando nó em rabo de cavalo, fazendo tranças à noite em suas crinas e criando pequenas dificuldades domésticas.

Muitas das manifestações associadas à cultura popular são comuns a todos os povos: Histórias transmitidas de forma oral (contos de fadas, lendas, mitos), danças, bijuterias e enfeites, música de vários tipos e até utensílios de cozinha.

Um conto, uma lenda, uma dança, um enfeite ou utensílio?
Fale alguma coisa de seu país que faça parte da cultura popular.

Polenta

Cerca de 500 a.C., os gregos aprenderam a macerar grãos de trigo com água. Na Itália da Idade Média, esse preparado era misturado com favas moídas e aquecido com óleo e cebola. A polenta começou como um alimento de camponeses, ótima alternativa para o pão.

– O que você gostaria de comer no jantar?
– Frango a passarinho e polenta.
– Que delícia.

Que comida típica você serviria a um amigo que está pela primeira vez em seu país?

____

Para fazer uma boa polenta, não precisa também de uma boa panela de ferro?

____

TENHO TANTOS ASSUNTOS PARA RESOLVER!

Tantos ou tantas?

tanto
tanta
tantos
tantas

vários
várias

Obrigado pelo convite, mas hoje não dá para jogar tênis. Tenho ____ coisas para fazer e para resolver, que você nem pode imaginar. Que tal na próxima semana?

Vários ou várias?

Gosto demais de tirar fotografias. Tenho ______ câmeras fotográficas. E você?

Álbuns de fotografias:
de batizado
de aniversário
de casamento

E álbuns de fotos? Já perdi a conta.

Quem se casa tem sempre tantas coisas para resolver, não é?

NÃO DEIXE NADA PARA A ÚLTIMA HORA.

Das providências abaixo, quais devem ser marcadas com 6 e 2 meses de antecedência?

* determinar o tipo de cerimônia preferida ____
* mandar fazer o vestido de noiva e o traje do noivo ____
* começar a comprar o enxoval ____
* ir ao cartório para dar entrada nos papéis ___
* mandar imprimir os convites ___
* fazer a lista dos convidados e padrinhos ____
* começar a comprar os móveis ____
* escolher as músicas que vão ser tocadas durante a cerimônia ____

Normalmente, como uma cerimônia de casamento é registrada, para que se torne uma eterna lembrança?

____

REVISÃO

Complete os diálogos:

1 – Por que você está tão preocupado?
– ______________________________

2 – Preciso comprar um novo armário.
– Por quê?
– ______________________________

3 – Carlos está bêbado.
– Pudera! Ele bebeu ____________
– ______________________________

Você sabe: _______ calorias tem um: copo de suco de laranja?
copo de caldo de cana?
copo de leite desnatado?
copo de vinho tinto?
copo de suco de acerola?
copo de caipirinha?

quantas

laranja	110
caldo de cana	240
leite desnatado	120
vinho tinto	110
acerola	50
caipirinha	200

DIÁLOGO

Na sua opinião, leva mais tempo para fazer um rocambole ou uma torta de morangos?

– Que sobremesa você vai fazer?
– Estou **pensando em** fazer um rocambole.
– Tenho **outra** idéia.
– Qual?
– Que tal fazer uma torta de morangos com creme e suspiro? As crianças adoram.
– Boa idéia. **Além disso**, não leva muito tempo para fazer. Obrigada pela dica.

O QUE FAREMOS AMANHÃ?

Campos do Jordão

Todo mês de julho, Campos do Jordão é uma festa só: começa e avança com o Festival de Inverno. As ruas ficam cheias, os hotéis lotados e os restaurantes têm filas.
Todos querem aproveitar o frio das montanhas comendo muito chocolate, comprando as famosas malhas e curtindo a natureza.

Onde fica: no estado de São Paulo

Distâncias em km:
do Rio de Janeiro - 359
de São Paulo (capital) - 184
de Brasília - 1206

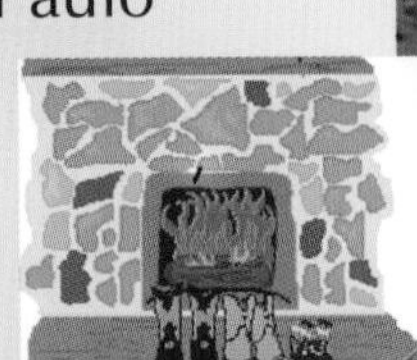
a lareira

ANTONIO MILENA / ABRIL IMAGENS

No Hotel

Filho: O que ***faremos*** amanhã?
Pai: De manhã, ***faremos*** um passeio de trem.
Mãe: Vocês sabiam que o trem passa pelo ponto ferroviário mais elevado do país?
Filha: Eu já li sobre isto numa revista. São 1743 metros.
Filho: Que alto! Eu não sabia. Estou ansioso para fazer este passeio.
Pai: Calma! Vocês ***terão*** oportunidade de conhecer muitas coisas interessantes. Esta viagem ***será*** inesquecível.

as malhas

a estrada de ferro
linha férrea
os trilhos

ATIVIDADE

Que atividades uma família poderá fazer ao tirar férias no inverno?

____

____

a caixa de chocolate

EUGENIO SAVIO / ABRIL IMAGENS

NÓS VIAJAREMOS DE TREM

FOCALIZAÇÃO

Verbos que terminam em: ar, er, ir

Futuro do presente

eu	**- ei**
ele - ela - você	**- á**
nós	**- emos**
eles - elas - vocês	**- rão**

Irregulares			Regulares		
trazer	**fazer**	**dizer**	**falar**	**vender**	**abrir**
trarei	farei	direi	falarei	venderei	abrirei
trará	fará	dirá	falará	venderá	abrirá
traremos	faremos	diremos	falaremos	venderemos	abriremos
trarão	farão	dirão	falarão	venderão	abrirão

Complete com o futuro:

- Amanhã nós ___________(viajar) de trem para o Rio de Janeiro.
- É mesmo? Mas eu acho que você ______ (ter) medo em muitos trechos da viagem.
- Ah! Eu já sei que há muitos abismos, mas não tem importância. ______(ser) uma viagem fascinante.
- Às vezes, parece que o trem vai cair.
- Puxa! Mas não é problema. Eu não tenho medo.
- Tomara!

Passe o texto para o futuro

No mês passado nós fomos para Campos do Jordão. Viajamos de carro e ficamos hospedados num hotel perto do centro. Foi possível assistir ao Festival de Dança porque estivemos lá na última semana de julho. Fizemos um passeio de trem e compramos muitas blusas de lã.

No próximo mês ____

____

____

____

____

PLANTAS MEDICINAIS

Chá de maracujá
Uso: utilizado nos problemas do sistema nervoso, insônia e ansiedade.

Chá de camomila
Uso: Calmante suave.

Chá de menta
Uso: problemas estomacais, intestinais e respiratórios.

Chá de folha de goiaba
Uso: diarréias e indisposições gástricas.

Qual é a sua opinião sobre a Medicina Alternativa? O que sabe sobre ela?

___

Como é possível prevenir doenças?

___

O que, normalmente, as pessoas não comem como aperitivo:

Que aperitivos, na sua opinião, realmente "abrem o apetite"?

___

ELE PUXOU À MÃE

AGRADECENDO AS FOTOS

Rita: Para quem **é que** você está escrevendo?

Ana: Para Paulo e Carla. Estou agradecendo as fotos do bebê que eles **me** mandaram. Veja aqui. Ele não é uma gracinha? E já está engatinhando. Acho que ele **puxou à mãe**.

Rita: É mesmo. É a cara da mãe.

Ana: Mas os olhos... são parecidos com os do pai.

Diálogo

– A quem você puxou?

– **Ao meu avô**. Ele tem cabelos crespos como eu. E você?

– Eu **puxei a minha avó**. Ela tem as sobrancelhas muito finas e os cílios são longos e muito bonitos.

RECORDANDO

pronomes pessoais

me – para mim
nos – para nós
lhe – para você/ele/ela
lhes – para vocês/eles/elas

PRATICANDO

(para mim)	Ele me mandou as fotografias.		
(para nós)	Eles	________	chamaram a atenção.
((para ela)	Ana	________	telefonou.
(para mim)	Carlos	______	deu carona.
(para eles)	Celso	_______	deu o dinheiro.
(para você)	Maria	_______	telefonou.
(para você)	Vera	________	deu o presente.
(para eles)	Mário	________	escreveu o telegrama.
(para elas)	Rose	________	preparou a bebida.

ATIVIDADES

1. Pergunte ao seu colega a quem ele puxou.
2. Escreva um cartão de Natal de agradecimento.
3. Leia o diálogo:

   – Carlos tem muito talento para a música.
   – Como o seu pai.
   – Filho de peixe, peixinho é.

   Explique o ditado *"**filho de peixe, peixinho é**"*.

DESPERDÍCIO DE ÁGUA E ENERGIA

Nos locais onde existe água encanada, 40% do consumo diário acontece nos banheiros. Um banho de três a quatro minutos consumirá quarenta litros de água.

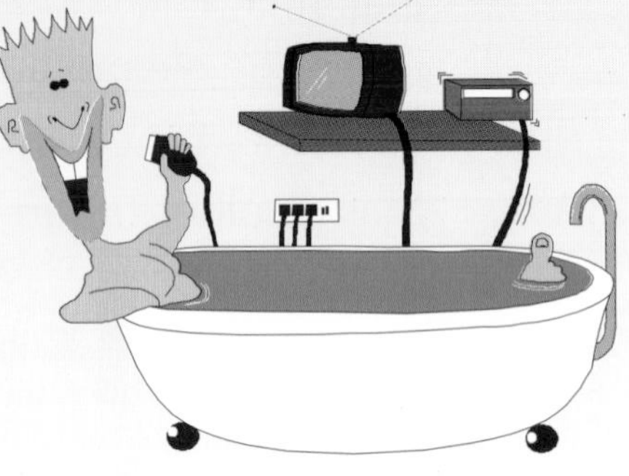

Deixar a torneira aberta enquanto se escova os dentes significa um desperdício médio de cinco litros.

Vazamentos ou torneira pingando podem gerar um gasto de 46 litros por dia.

E sobre energia elétrica? Que dicas você pode dar para não haver desperdício?

____

____

QUE FALTA DE CUIDADO!

O que está acontecendo?

________________ ________________ ________________

Quando há animais na estrada, os motoristas devem:

( ) reduzir a velocidade e buzinar

( ) buzinar e aumentar a velocidade

( ) parar o carro no acostamento e esperar

COMPLETE OS DIÁLOGOS

– Aonde você irá?
– __________ ao cinema.

– O que ele será?
– Ele _______ cantor.

– Quanto você dará?
– Eu _______ R$ _______

– O que ele fará?
– Ele __________ uma viagem.

Pedro Carlos Luís

Quem ganhará a corrida?
____

MODELO

eu irei
ele irá
nós iremos
eles irão

Oralmente, conjugue os seguintes verbos no futuro do presente:
ir - estar - saber - poder - trazer - vender - ver - vir - dar - caber - fazer

Você já foi a uma corrida de cavalos? __________ **Apostou também?** __________
Se apostou, ganhou ou perdeu? __________ **Quanto apostou?** __________

Passe para o plural:

1. Ele me mandou o telegrama.
____

2. Ela lhe emprestou dinheiro.
____

3. Quem lhe deu o recado?
____

Observe

– Quem **lhe** emprestou a caneta?
– Carlos.

ou

– Quem **te** emprestou a caneta?
– Carlos.

Complete os espaços com os pronomes corretos: *me* - *nos* - *lhe* ou *lhes*

O diretor _____ mostra o plano.

Lúcia ___ emprestou o livro.

– Quem ___ telefonou?
– Carlos me telefonou.

LUÍS DANÇOU COMIGO

COMPLETE O DIÁLOGO

– Aonde você _____ (ir) ontem?
– Fui ao baile.
– Quem ________ (dançar) com você?
– Luís dançou **comigo.**

Você gosta de festas cujo traje é:

( ) a rigor ( ) passeio completo
( ) esporte ( ) típico

E música? Que tal música ao vivo?

____

NÃO PERCA!
Baile: 12/06
Início: 22:00 horas
Traje: Típico
Banda: Os Gaúchos
Convites e reservas de mesa:
3222-0566

FOCALIZAÇÃO *pronomes pessoais*

comigo - conosco

Normalmente, quais são os motivos que dão origem a uma greve?

____

____

COMIGO ou CONOSCO?

– Quem saiu com você?
– Luís ____________________

– Quem vai jantar com vocês?
– Mário ____________________

– Quem esteve com vocês na praia?
– Júlio e Ida ____________________

– Quem foi à festa com você?
– Fernando ____________________

Ponha em ordem:

1. *Carlos - conosco - na praia - esteve*

____

2. *o dinheiro - Márcio - emprestou - lhe*

____

3. *o presente - Luís - deu - me - ontem*

____

4. *jantar - quer - Carlos - comigo*

____

EU MESMO

OUÇA O DIÁLOGO

– *Quem vai tapar o buraco que está no quintal?*
– ***Eu mesmo.***
– *Você? Mas você disse que está muito cansado!*
– *Não faz mal. Alguém precisa fechar este buraco o quanto antes.*
– *É verdade. Alguém pode cair lá e quebrar uma perna.*

FOCALIZAÇÃO — *pronomes demonstrativos*

masculino singular	feminino singular
mesmo	**mesma**
masculino plural	feminino plural
mesmos	**mesmas**

Quando usar: após substantivos ou pronomes pessoais (eu/ele/ela/você/nós/eles/elas/vocês) para dar idéia de reforço.

O que você mesmo gosta de fazer?

( ) arrumar o quarto
( ) fazer o jantar
( ) escolher roupas

PRATICANDO

1. Eles ________________ vão consertar o telhado.
2. Elas ________________ vão pintar a casa.
3. Ele ________________ vai consertar a lareira.
4. As crianças ________________ prepararam o lanche.
5. Os atores ________________ fizeram o figurino da peça.
6. As mães ________________ organizaram a reunião na escola.
7. Ela ________________ decidiu colaborar mais.

Observe

masculino
aos sábados
aos domingos
feminino
às segundas
às terças
às quartas
às quintas
às sextas

CONVERSAÇÃO

Luís: *O que você faz* ***aos domingos?***
Pedro: *Normalmente, vou pescar.*
Luís: *Onde?*
Pedro: *No lago Lambari. Sabe onde fica?*
Luís: *Sei. Qualquer dia posso ir com você?*
Pedro: *Claro que você pode ir comigo. Que tal no próximo domingo?*
Luís: *Combinado. E quem vai limpar os peixes?*
Pedro: *Nós mesmos.*

Pergunte ao seu colega:
a. quando ele vai ao supermercado
b. quando ele vai ao cinema
c. quando ele vai à discoteca
d. quando ele visita os seus avós

A RÃ AFRICANA

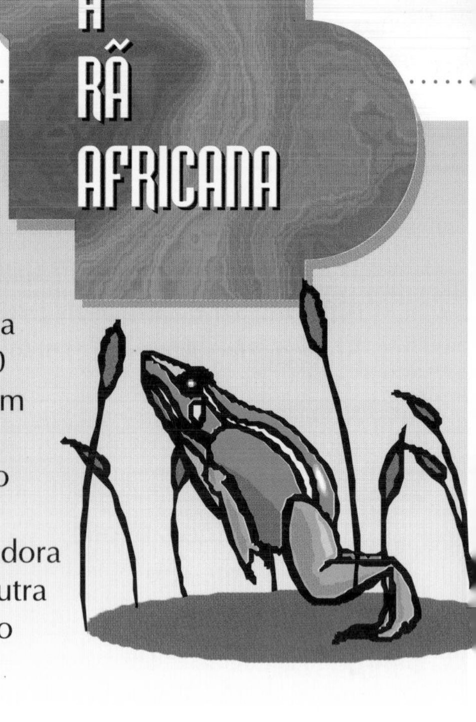

UMA RÃ TÃO GRANDE QUE É CAPAZ DE COMER PEQUENOS ROEDORES.

A rã do gênero ***Conraua Goliath***, que vive na costa ocidental da África, pesa mais de três quilos e mede, em posição normal, 40 centímetros. Com as patas traseiras esticadas, pode passar de um metro de comprimento. Não há uma boa explicação para esse exagero. Supõe-se, apenas, que a super-rã pode ter crescido, ao longo de milhões de anos, como resposta à necessidade de enfrentar seus predadores, as cobras. Ela é uma excelente nadadora e se alimenta de rãs menores, lagartos e pequenos roedores. Outra curiosidade: o imenso anfíbio é mudo, incapaz de coaxar como seus parentes menores.

Fonte: Revista Superinteressante, janeiro/95.

O que eles fazem?			verbos
rãs e sapos	-	**coaxam**	***coaxar***
galinhas	-	**cacarejam**	***cacarejar***
cães	-	**latem**	***latir***
gatos	-	**miam**	***miar***
cabras	-	**berram**	***berrar***
bois	-	**mugem**	***mugir***
cavalos	-	**relincham**	***relinchar***
lobos	-	**uivam**	***uivar***
insetos	-	**zumbem**	***zumbir***
pássaros	-	**gorjeiam**	***gorjear***

Dos animais abaixo, qual é roedor?

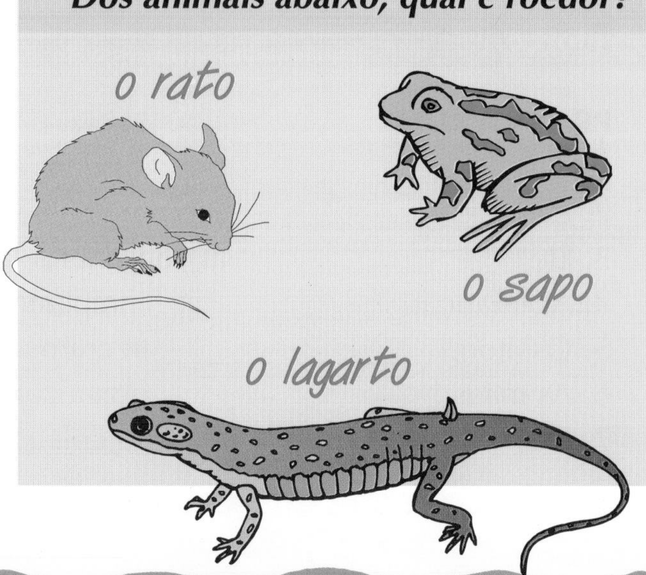

INFORMAÇÃO

O peixe-boi, comum em toda a bacia amazônica, é o maior mamífero fluvial do planeta, chegando a medir até quatro metros de comprimento e pesando oitocentos quilos. Calcula-se que existam quatrocentos deles em águas brasileiras.

ATIVIDADE

1. Comentários:

O que está sendo feito para a preservação das espécies em extinção?

___

___

EU NUNCA SAIRIA DE BARCO

DIÁLOGO

Local: praia
Tempo: chuvoso
Previsão do tempo: chuvas e trovoadas

– Onde Mário está?
– Foi pescar de barco.
– Nossa! Eu nunca sairia de barco com este mau tempo.
– Nem eu. Mas você conhece Mário. Ele é muito teimoso.

FOCALIZAÇÃO

Futuro do pretérito (condicional)

eu	***-ia***
ele - ela - você	***-ia***
nós	***-íamos***
eles - elas - vocês	***-iam***

Verbos regulares

falar	*beber*	*abrir*
futuro do pretérito (condicional)		
falaria	beberia	abriria
falaria	beberia	abriria
falaríamos	beberíamos	abriríamos
falariam	beberiam	abririam

Verbos irregulares

trazer	*fazer*	*dizer*
futuro do pretérito (condicional)		
traria	faria	diria
traria	faria	diria
traríamos	faríamos	diríamos
trariam	fariam	diriam

O QUE VOCÊ FARIA?

De acordo com as seguintes situações, o que você faria?

Num lava-rápido:

( ) ficaria dentro do carro
( ) sairia do carro

Numa batida de carro:

( ) xingaria o outro motorista
( ) resolveria o problema com calma

Numa enchente:

( ) sairia logo da cidade
( ) tentaria ajudar os desabrigados

ATIVIDADE

Pergunte ao seu colega:

1. se ele tem medo de trovões, relâmpagos, raios, ventanias, tempestades, furacões e terremotos
2. o que ele faria numa estrada com queda de barreira

RECORDANDO

Comemore conosco.

Comemorem conosco.

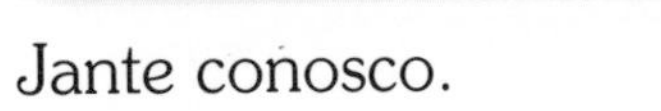

Jante conosco. ____________________

Fique conosco. ____________________

Saia conosco. ____________________

Colabore conosco. ____________________

Responda de forma positiva ou negativa:

1. Chove muito. Você iria à praia? ____________________
2. Seu amigo precisa de ajuda. Você o ajudaria? ____________________
3. O livro tem 500 páginas. Você o leria? ____________________

Complete:

Eu traria os livros. Eles ________________. Elas ________________.

Nós faríamos o trabalho. Eu ________________. Vocês ________________.

Eu diria a verdade. Nós ________________. Elas ________________.

Até quanto você pagaria por:

uma furadeira? ____________

uma caixa com 100 parafusos? ____________

um rolo de pintura? ____________

um canivete? ____________

uma lanterna? ____________

É TIRO E QUEDA

LÚCIA LIGA PARA JOSÉ

– *Como vai?*
– *Mal!*
– *Por quê?*
– *Você não está ouvindo minha voz? Estou rouco. Mal posso falar.*
– *Você pegou gripe?*
– *Que gripe! E não* **paro de** *tossir.*
– *Você já tomou algum remédio?*
– *Estou tomando xarope.*
– *Por que você não tenta tomar chá de limão com mel?*
– *Funciona?*
– ***É tiro e queda.***
– *Obrigado. Vou tentar.*

Sua opinião:
Quando alguém pega uma gripe deve tomar remédios caseiros ou ir ao médico?

____
____
____

Quanto tempo uma pessoa leva para se recuperar:

- de uma gripe? __________________________
- de uma cirurgia no joelho? _______________
- de uma cirurgia no estômago? ____________

De que maneira um doente poderá colaborar com o seu médico para uma rápida convalescença?

____
____
____

Responda:

1. Que providências você tomaria com alguém que queimou o dedo?

____

2. O que deve ser feito quando as queimaduras deixam cicatrizes?

____

3. Como prevenir acidentes com água quente ou outros produtos que possam causar queimaduras?

____

EU TAMBÉM IA, MAS NÃO TIVE TEMPO

DIÁLOGO

– Eu **viajaria,** mas não posso. Meu filho está com febre.
– Eu também **ia viajar,** mas não posso. Minha filha está com varicela.

FOCALIZAÇÃO

Forma coloquial: ir + verbo no infinitivo

eu	ia	**+ verbo no infinitivo**
ele - ela - você	**ia**	
nós	**íamos**	
eles - elas - vocês	**iam**	

PRATICANDO

1. Eu compraria o carro, mas não tenho dinheiro.
______________________________.
2. Eu leria o livro, mas não tenho tempo.
______________________________.
3. Eu ajudaria meus amigos, mas não tenho tempo.
______________________________.
4. Eu iria à festa, mas estou indisposto.
______________________________.
5. Eu faria o jantar, mas estou cansado.
______________________________.
6. Eu traria as flores, mas a floricultura já estava fechada.
______________________________.

Complete com o verbo indicado:

O menino ______________ (chamar) os seus pais, mas agora não dá.

Complete as frases, criando um contratempo para as seguintes situações:
ELES IAM FAZER ALGUMA COISA, MAS NA ÚLTIMA HORA NÃO FOI POSSÍVEL.

Meu tio foi pescar. Meu pai ***ia pescar*** também, mas na última hora não foi possível porque ______________
____

Meus amigos saíram para saltar de pára-quedas. Eu também ***ia saltar,*** mas na última hora não foi possível porque ______________
____

Meu irmão foi escalar uma montanha. Meu primo também ia, mas na última hora não foi possível porque
____

ATIVIDADE

1. Escreva um recado a uma amiga explicando que não será possível ir ao cinema, porque surgiu um contratempo. ______________
____

COMO AS PESSOAS PODEM SE SENTIR?

1. Depois de estudar cinco horas a fio, o estudante pode se sentir:
( ) disposto ( ) cansado ( ) animado

2. Quando fazem um cruzeiro pelas ilhas do Caribe, os turistas podem se sentir:
( ) chateados ( ) preocupados ( ) felizes

3. Antes da entrevista para conseguir emprego, o candidato pode se sentir:
( ) indiferente ( ) nervoso ( ) tranqüilo

4. Ao receber os convidados para uma festa, o anfitrião pode se sentir:
( ) irritado ( ) animado ( ) confuso

PRATICANDO

uso dos adjetivos

disposto: Elas estão dispostas.
1. **indisposto:** Eles ______________________
2. **animado:** Ela ______________________
3. **ansioso:** Nós ______________________
4. **chateado:** Ela ______________________
5. **disposto:** Ele ______________________
6. **cansado:** Eles ______________________

Ao fim do dia, as empregadas se sentem:
( ) muito cansadas ( ) muito dispostas

DIÁLOGO

– Por que Carlos desmaiou?
– Ele ficou muito **emocionado** com uma notícia. Ele é o único herdeiro de um tio milionário que faleceu na Bahia.
– Acho que eu também desmaiaria. O que ele herdou?
– Duas fazendas e um edifício de dez andares.

ATIVIDADES

1. Com a colaboração de seu colega, cite outras situações em que alguém poderá desmaiar ao receber uma boa notícia.

2. Antes de uma entrevista para conseguir emprego, você se sentiria:
( ) indiferente ( ) surpreso ( ) emocionado ( ) preocupado

3. Como você se sente hoje?
( ) Hoje eu me sinto mal. ( ) Hoje eu me sinto bem.
( ) Hoje eu me sinto disposto. ( ) Hoje eu me sinto indisposto.

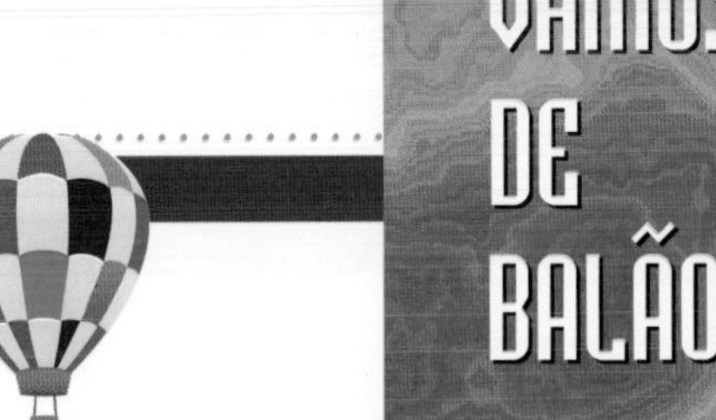

VAMOS DE BALÃO

BALONISMO

Um balão cheio tem 25 metros de altura. O equivalente a um prédio de oito andares e voa a uma velocidade de 10 km/h.

DE BALÃO, NO CORAÇÃO DA ÁFRICA

O objetivo da viagem é sobrevoar a reserva de *Masai Mara*, no Quênia, para observar de cima os milhares de animais selvagens que vivem na região. Há elefantes, zebras, hienas, girafas e rinocerontes entre os habitantes da área.

Voar de balão é um programa turístico disponível em várias partes do mundo, mas quase sempre muito caro. Os preços altos se justificam, segundo os balonistas, pelo alto custo dos balões que, entretanto, têm vida curta.

Fonte: Revista Viagem - agosto/99 .

Nota: a vida útil de um balão é de trezentas horas de vôo.

*Um balão cheio é **tão** alto **quanto** um prédio de oito andares.*

FOCALIZAÇÃO

Comparativo de igualdade

tão + adjetivo + quanto

tão + adjetivo + como

QUE MENTIRA!

– *Laura e Vilma me disseram que pagaram R$ 400,00 em perfumes na sua viagem a Paris.*

– *Que mentira! Elas gastaram apenas R$ 80,00 cada uma.*

– *Como é que você sabe?*

– *Elas estavam conosco o tempo todo. Não entendo porque elas mentiram.*

– *Laura é tão mentirosa quanto Vilma.*

Alguns adjetivos: seguro - inseguro - esperto - ingênuo - seco - molhado - mentiroso - sincero - honesto - útil - inútil - barulhento - silencioso - quieto

Faça comentários sobre as confusões que uma pessoa mentirosa poderá causar. Explique a expressão *"a mentira é uma bola de neve".*

DICAS DE CULINÁRIA

1. As características de um peixe fresco são:
   - olhos brilhantes e claros
   - guelras com coloração vermelha
   - carne rígida

2. Não cozinhe o peixe demais, pois isso afeta o seu sabor.

3. O camarão e a lagosta podem ser cozidos com casca ou sem casca.

ATIVIDADE

Pergunte ao seu colega:
– Alguma vez você já comeu:
ostra?
polvo?
lagosta?
caranguejo?

Frutos do Mar

o polvo

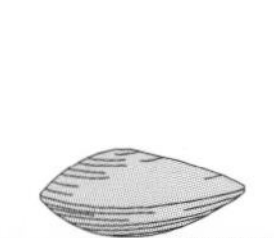

o marisco

o caranguejo

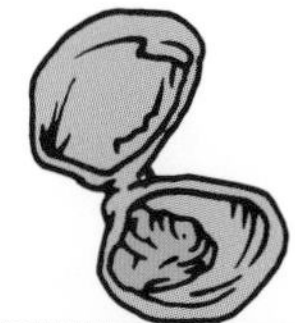

a ostra

a lagosta

Você está com pressa e tem pouco tempo para fazer um molho para o peixe?
Aqui vai uma sugestão dos *Vigilantes do Peso.*

MOLHO COM ERVAS E VINHO BRANCO
(4 porções - 5 minutos)
- 2 colheres de sopa de margarina light
- 1 colher de sopa de cebolinha e salsinha picadas
- 1 colher de sopa de vinho branco, seco

Misture bem todos os ingredientes e... *bom apetite.*

Você poderia dar uma receita de um molho delicioso para peixe ou carne?

____

____

____

____

____

____

____

____

VOCÊ QUER UMA GARRAFA DECORADA?

CURIOSIDADE

Em Morro Branco, no Ceará, todos conhecem as garrafas decoradas com areia colorida.

O Ceará é um estado da região Nordeste do Brasil.

GEYSON MAGNO / ABRIL IMAGENS

Na semana passada, Márcia levou duas garrafinhas para a escola e as mostrou para suas colegas. Elas fizeram algumas perguntas.

Fernanda: *Quem faz as garrafinhas?*
Márcia: *Os artesãos.*
Cláudia: *Onde eles* **conseguem** *a areia colorida?*
Márcia: *Nas falésias da região. Amanhã trarei as fotos para vocês.*

FOCALIZAÇÃO

Verbo *conseguir* - irregular
Modo indicativo

conseguir

	presente
eu	consigo
ele - ela - você	consegue
nós	conseguimos
eles - elas - vocês	conseguem

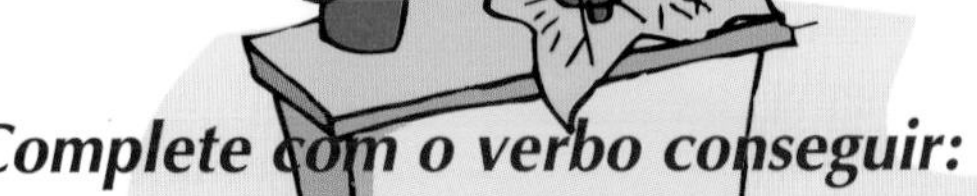

Complete com o verbo conseguir:

– *Você vai conseguir terminar esta blusa até às cinco horas?*
– *Sim, com certeza, eu _____________.*

– Eu _____________ ficar na mesma posição para fazer meditação por 30 minutos.
– Nossa! Eu não _________.

– Eu não ___________ dormir quando viajo de avião.
– Nem eu.

EU NÃO CONSIGO ....
EU CONSIGO....

– Daqui a pouco vou pendurar um quadro.
– Você ___________?
– Acho que vou.

ATIVIDADES

a. escreva três coisas que você consegue fazer muito bem e uma que você não consegue fazer de jeito nenhum
b. apresente ao grupo

DIÁLOGO

– Você sabe qual é a temperatura de Nova Friburgo?
– Sei. A temperatura média anual fica em 18 graus centígrados.
– E você sabe qual é a temperatura de Teresópolis?
– Sei. Também fica em 18 graus centígrados.
– Então, a temperatura de Nova Friburgo é **tão agradável quanto** a de Teresópolis?
– Certo.
– Puxa! Eu não sabia. Obrigado pela informação.

Complete as frases, usando os adjetivos abaixo:

confortável - bonita - grande - caro

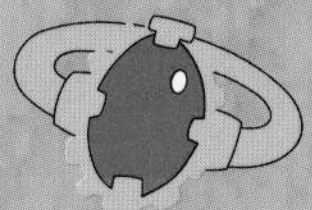

A pedra deste anel é tão __________ quanto esta.

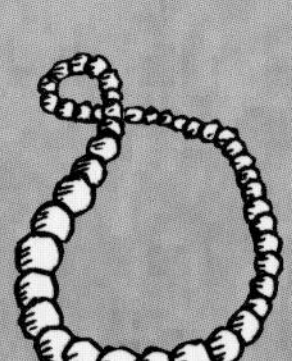

Este colar é tão ___________ quanto este pingente.

Aquele guarda-sol é tão ______________ quanto este.

O carrinho azul de bebê é tão ____________ quanto o vermelho.

Hoje está tão quente quanto ontem?

____

____

ATIVIDADE

Fale para os seus colegas:

a. a temperatura anual de sua cidade

b. quais são as alternativas para fazer turismo gastando pouco

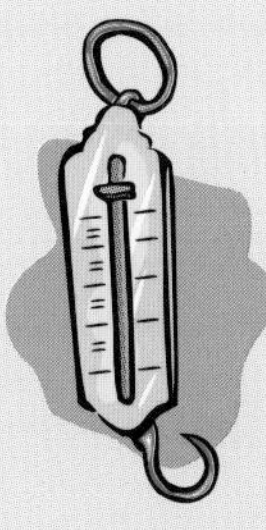

Para medir a temperatura, usa-se termômetro.

A MOTOCICLETA AMARELA É MENOS VELOZ

A motocicleta amarela, do piloto carioca, é menos veloz do que a motocicleta do piloto paulista.

FOCALIZAÇÃO

comparativo de inferioridade

menos + adjetivo + do que

ACONTECEU DE MOTOCICLETA

A 15 de dezembro de 1995, 47 membros do Batalhão de Polícia de Brasília subiram em uma motocicleta Harley-Davidson 1.200 cc.
A 14 de fevereiro de 1996, uma equipe do Corpo de Sinaleiros do Exército da Índia formou uma pirâmide com 140 homens sobre 11 motocicletas, e percorreu 200 metros.

PRATICANDO

1. (veloz) Estes carros são menos ______________ do que aqueles.
2. (experiente) O piloto gaúcho é menos ____________do que o baiano.
3. (seguro) Esta ponte é menos _______________ do que aquela atrás da montanha.
4. (impaciente) Estas crianças são menos _____________ do que meus primos.
5. (ansioso) Minha avó é menos _______________ do que meu avô.
6. (ingênuo) Meus filhos são menos _______________ do que meus sobrinhos.
7. (tímido) Minhas sobrinhas são menos ______________ do que minha neta.

Complete as frases com os seguintes adjetivos:

emocionante

seguro

barulhento

avião monomotor

avião a jato

Viajar num avião monomotor é menos ___________________ do que _________________

motociclismo

motocross

Motociclismo é menos ________________________ do que ______________________

despertador

relógio de parede

Há despertadores menos _______________________ do que alguns relógios de parede.

O CARTÃO AMARELO É MAIS BONITO DO QUE O VERMELHO

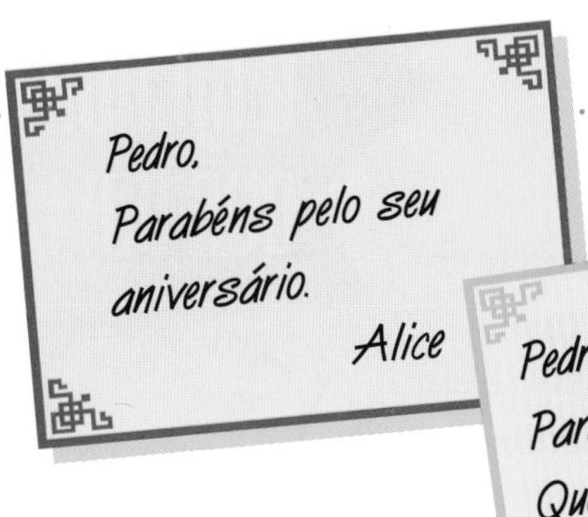

Pedro.
Parabéns!
Que você seja muito feliz.
Alice

Diálogo

– *Você é de que parte de São Paulo?*
– *Do norte. Mas já morei no sul de São Paulo há dois anos.*
– *E qual é a parte mais interessante?*
– *Acho que o norte é mais interessante do que o sul. Principalmente devido às plantações de laranja.*

Responda:

Em que cidades você já morou? ______________________________

Complete:

______________________ é mais interessante do que ______________________
(nome de cidade) (nome de cidade)

Explique as razões: ______________________________

Cumprimente um amigo pelo seu aniversário.

____
____

PRATICANDO

1. (caro)	Roupas importadas são mais ________ do que roupas nacionais.
2. (emocionante)	Trem-fantasma é muito mais __________ do que roda-gigante.
3. (elegante)	Sapatos de camurça são mais __________do que de couro sintético.
4. (saboroso)	Torta de nozes é mais ________________ do que de damasco.
5. (nutritivo)	Sucos em geral são mais __________ do que refrigerantes.
6. (esperto)	Papagaios são mais ______________ do que muitos outros pássaros.
7. (extravagante)	Alguns óculos de sol são mais ___________ do que óculos de grau.

ESTE APARELHO É MENOR DO QUE UM LIVRO

Um aparelho contra o celular

Sempre foi muito malvisto receber ligações ao telefone celular em diversos bares e restaurantes dos Estados Unidos e da Europa. Mas agora passou a ser impossível. Tudo por conta de um aparelho chamado C-Guard Cellular Firewall. Esse **aparelhinho**, **menor do que um livro escolar**, é fabricado por uma empresa de Israel e bloqueia a recepção das chamadas num raio de 100 metros.

Fonte: Revista Viagem, agosto/99.

FOCALIZAÇÃO

adjetivos irregulares

	singular	plural
grande	maior	maiores
pequeno pequena	menor	menores

DANDO SUA OPINIÃO

Em que lugares públicos o telefone celular pode tocar sem incomodar as outras pessoas?

___

___

adjetivos irregulares

masculino singular	feminino singular	masculino feminino singular	masculino plural	feminino plural	masculino feminino plural
bom mau	boa má	melhor pior	bons maus	boas más	melhores piores
ruim		pior	ruins		piores

Viajar de avião é melhor do que viajar de trem?

Nem sempre. Pelo menos na Europa. Uma pesquisa comparou as mesmas distâncias feitas pelos trilhos e pelo ar na Europa. Nas viagens, foi incluído não só o tempo de vôo, mas também aquele gasto em check-in, embarque e desembarque.

ATIVIDADE

Escreva os nomes de cinco restaurantes e compare os preços, o atendimento, a localização e a comida.

Rota	Tempo de ferrovia	Tempo pelo ar
Londres-Bruxelas	2h45 min.	3 horas
Londres-Paris	3 horas	3h05 min.
Paris-Bruxelas	1h25 min.	2h55 mim.

Fonte: Revista Viagem, agosto/99.

PRATICANDO

Ele está menos ansioso do que eu. ***Eles estão menos ansiosos do que nós.***

1. Este papel está menos amassado do que aquele.
____

2. Este livro é mais interessante do que aquele.
____

3. Esta ferramenta é maior do que aquela.
____

4. Este anel é menor do que aquele.
____

5. Esta tesoura é pior do que aquela.
____

6. Este cartão é mais bonito do que aquele.
____

7. Este lápis é menor do que aquele.
____

Complete as seguintes frases, com um dos adjetivos apresentados:

1. (melhor - pior) Geléia de damasco é ___________ do que mel.
2. (melhor - pior) Lagosta é ________________ do que peixe.
3. (mais - menos) Viajar de ônibus é _______ confortável do que viajar de avião.
4. (maiores - menores) Moscas são ____________________ do que abelhas.
5. (pior - melhor) Café sem açúcar é ____________ do que café com açúcar.

Combine cada solicitação às seguintes respostas:

1. Sim. É prá já.

2. Pois não. Mas cuidado para não se queimar. Ela está muito quente.

3. Oh, desculpe! Eu não sabia. Claro que posso.

4. Sim, dá. É um trabalho rápido com anestesia local.

Daria para você fechar as janelas? Está ventando muito.

Por favor, você poderia baixar o volume do som? Estou com uma enxaqueca terrível.

Dr., é possível tirar todas estas verrugas aqui, atrás das orelhas?

Por favor, dá para você me passar a travessa de carne com farofa?

O MAIS ALTO DE TODOS

VOCÊ SABIA?

O carro **mais longo** do mundo é uma limusine de 26 rodas e 30,5 metros de comprimento. Ela possui piscina com trampolim e cama de casal com colchão de água. Pode ser utilizada como peça única ou articulada ao meio.

O cemitério **mais alto** do mundo fica na cidade de Santos, no estado de São Paulo. Tem 10 andares e uma área de 1,8 hectares.

A ponte **mais longa** do mundo fica em Louisiana, EUA. Ela mede 38,42 Km de extensão.

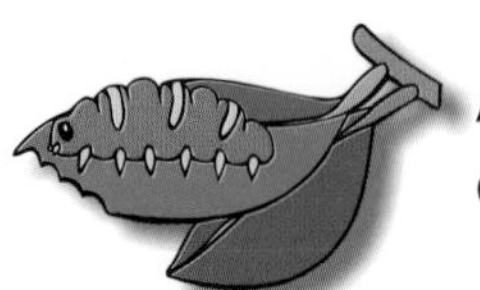

A fibra natural **mais forte** é a seda. São necessários cerca de 10 mil bichos-da-seda para se fazer uma roupa.

Os peixes **mais ferozes** são as piranhas. Elas têm dentes afiados e atacam qualquer criatura ferida, ou que faça movimentos na água, independente do seu tamanho.

Fonte: Guiness,1999.

FOCALIZAÇÃO — superlativo relativo regulares

masculino singular
o mais - O mais caro de todos.
o menos - O menos caro de todos.

masculino plural
os mais - Os mais caros de todos.
os menos - Os menos caros de todos.

feminino singular
a mais - A mais cara de todas.
a menos - A menos cara de todas.

feminino plural
as mais - As mais caras de todas.
as menos - As menos caras de todas.

PRATICANDO

(estranho) o mais estranho
(perigoso) ____________________
(venenoso) ____________________
(sensacional) ____________________

(interessante) o menos interessante
(agradável) ____________________
(confortável) ____________________

(exigente) a mais exigente
(alto) ____________________
(caro) ____________________
(amável) ____________________

(complicado) a menos ____________________
(difícil) ____________________
(curioso) ____________________

DESCREVA

a. as ruas que têm o tráfego mais congestionado de sua cidade
b. a roupa de festa mais bonita que você já teve
c. a cidade menos interessante que você já visitou

ITAIPU É A MAIOR USINA HIDROELÉTRICA

RESPONDA RÁPIDO

– Você sabe qual é **a maior usina hidrelétrica do mundo?**

– ______________________________

– Onde fica?

– Fica em Foz do Iguaçu, no estado do Paraná.

As Cataratas do Iguaçu formam um conjunto de 250 saltos. **É a maior queda d'água do mundo.** Por ano, entre 1,5 milhões e 2 milhões de pessoas visitam Foz do Iguaçu.

ORLANDO AZEVEDO / ABRIL IMAGENS

Cataratas do Iguaçu

NANI GOIS / ABRIL IMAGENS

Usina de Itaipu

FOCALIZAÇÃO — superlativo relativo irregulares

	masculino			feminino	
adjetivos	singular	plural	adjetivos	singular	plural
grande *pequeno* *bom* *mau*	o maior o menor o melhor o pior	os maiores os menores os melhores os piores	*grande* *pequena* *boa* *má*	a maior a menor a melhor a pior	as maiores as menores as melhores as piores
ruim	o pior	os piores	*ruim*	a pior	as piores

INFORMANDO

1. **A menor** impressora do mundo é da Citizen. Ela mede 25,4 x 5,1 x 7,6 cm e pesa 498 gramas.

2. **O maior** pântano fica no Grande Pantanal, nos Estados do Mato Grosso e Mato Grosso do Sul, com área de aproximadamente 109.000 km2.

3. **A melhor** atriz: Katherine Hepburn. Conquistou 4 Oscars com os filmes *Manhã de Glória* (1933), *Adivinhe Quem Vem Para Jantar* (1967), *O Leão no Inverno* (1968) e *Num Lago Dourado* (1981).

4. **O pior** ano no Everest: 1996, quando 15 das 98 pessoas que chegaram ao topo morreram durante a descida.

Fonte: Guiness, 1999.

O MAIS CORAJOSO

Relacione as colunas:

Vou ao supermercado	ao meio-dia.
Vamos jantar fora	às terças e quintas.
Assisto à novela	todas as noites.
Jogo tênis	uma vez por semana.
Sempre almoço	aos sábados.

Meu vizinho

Meu vizinho é uma das pessoas mais interessantes que eu conheço. Está sempre alegre, é gentil e muito prestativo.
Em sua casa há um grande quintal e uma churrasqueira enorme. Quase todos os domingos ele reúne os amigos para um churrasco. As mulheres preparam as saladas e os homens, a caipirinha e a carne. É muito bom ter um vizinho como o seu Alfredo.
Ele é muito bacana.

Escrevendo

1. *Uma das pessoas mais curiosas que eu conheço é ________, porque ________*
2. *Uma das pessoas mais amáveis que eu conheço é ________, porque ________*
3. *Uma das pessoas mais medrosas que eu conheço é ________, porque ________*

Na sua opinião, quem é o mais corajoso?

____

Que esporte radical você praticaria?

____

Luís

Carlos

Mário

ATIVIDADE

Fale para um colega em que ocasiões é muito agradável reunir os amigos e sobre os locais apropriados, comentando as suas vantagens e desvantagens.
Locais: em casa, no salão de festas do edifício, no clube, na chácara ou na fazenda.

AS CIDADES ANTIGAS SÃO AS MAIS INTERESSANTES

DIÁLOGO

– *Você prefere conhecer cidades modernas ou antigas?*
– *Prefiro conhecer cidades antigas. Para mim, elas são* ***as mais*** *interessantes.*
– *Para mim também.*

Brasília

CLAUDIO VERSIANI / ABRIL IMAGENS

Ouro Preto

JOÃO SANTOS / ABRIL IMAGENS

Você prefere conhecer cidades modernas ou antigas?

____

____

OS ESPORTES MAIS POPULARES

Brasil	futebol
Inglaterra	futebol
Holanda	patinação no gelo
Canadá	hóquei no gelo
Estados Unidos	beisebol

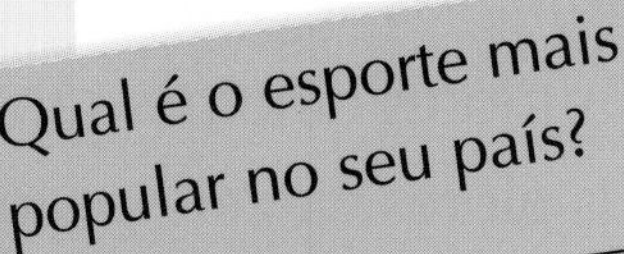

Qual é o esporte mais popular no seu país?

____

____

Para mim:

a. o esporte individual mais interessante é ______________________

b. o esporte individual menos interessante é ______________________

c. o esporte individual mais perigoso é ______________________

Compare as suas opiniões com um de seus colegas.

O BEIJA-FLOR É...

O pássaro mais leve, o mais comilão e o menor de todos os passarinhos. Capaz de parar no ar e voar de marcha-ré. Encanta pelo colorido e é indispensável para a reprodução de muitas plantas.

– *Os beija-flores têm o mesmo tamanho?*
– *Não. O maior de todos, o brilho de fogo, encontra-se na Selva Amazônica.*

Escreva os nomes dos insetos mais perigosos que você conhece.

____

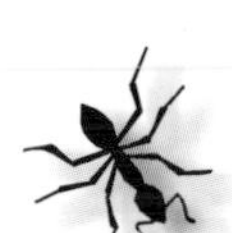

Escolha a melhor frase para o apresentador do circo.

1. E agora, senhoras e senhores, um grande show.
2. E agora, senhoras e senhores o melhor show do mundo.
3. E agora, senhoras e senhores, o mais fascinante show com os melhores e mais corajosos artistas do mundo.

Continue as seguintes frases:

1. Os piores cinemas são aqueles que ____________
2. Os piores calçados são aqueles que ____________
3. Os melhores restaurantes são aqueles que ____________
4. Os melhores vizinhos são aqueles que ____________

Ajuda:
- falam pouco
- servem rapidamente
- têm couro duro
- têm bico fino
- têm poltronas velhas
- fazem muitas festas
- são prestativos

Complete os diálogos:

– Você pode me emprestar o seu lápis?
– Qual deles? O menor ou o maior?
– Prefiro ____________

– Comprei um quadro na exposição.
– Qual deles? O mais caro ou o mais barato?

Qual é o maior país da América do Sul?

____

JÁ FUI BOM NISSO

Ulisses Tavares

Dentro do círculo riscado no chão de terra da praça, dez bolinhas de gude.

Em volta, o pai e o filho estavam abaixados, olhar fixo nas bolinhas coloridas de vidro.

Uma vez de cada.

Em poucos minutos:disparar, apontar, fogo!, todas as bolinhas ficaram com o garoto. Do lado do pai, nenhuma.

O pai ***dá de ombros,*** levanta e desiste.

– Já fui bom nisso. Agora estou ***meio fora de forma.***

Fim da tarde, hora de ir para casa.

Pai e filho no carro, trânsito difícil, o pai **desvia de** um ***barbeiro*** que avança o sinal vermelho.

Filho comenta:

– Sabe, pai. Eu ainda vou ser bom nisso.

– Nisso o quê?

– Nisso de dirigir bem como você.

Pai passa a mão na cabeça do filho com carinho.

– Quando chegar a hora lhe ensino.

Ri e completa:

– Mas por enquanto meu sonho é ***voltar a*** jogar bolinha como você joga.

Filho, olhos brilhando:

– Vou ensinar você, pai.

Pai engata uma primeira e acelera, pensando no melhor trajeto a seguir.

Mesmo que errasse uma ou outra rua, um ou outro desvio, não tinha importância.

Os dois sabiam o caminho de volta... para casa e... para a vida.

TROCANDO IDÉIAS

1. Fale do espírito de competição que pode existir entre pais e filhos.
2. Hoje em dia, em que tipos de jogos os filhos podem ter mais sucesso que os pais?

PRONÚNCIA

socorro		*passado*	**rr, ss**
chave	*filho*	*ninho*	**ch, lh, nh**
guitarra		*quilo*	**gu, qu**
nascer	*cresço*	*excelente*	**sc, sç, xc**

O vagão está no trilho.

o trilho

– Eu gosto de nadar na piscina.

a piscina

excesso - ex-ces-so
exceção - ex-ce-ção
excelente - ex-ce-len-te

x (som de z)

exagerar	*exílio*
exame	*existência*
executivo	*exercício*
exemplo	*examinar*

x (som de ch)

abacaxi	*xarope*
caixa	*faixa*
lixo	*enxoval*
lixar	*enxaqueca*

qua, quo

quadro	*qualidade*
quatro	*quarenta*
quota	*quadrilha*
quociente	*quase*

RECEBENDO VISITAS

São vinte horas. Nilton recebe a visita de seu novo colega de trabalho, Marcos, e de sua esposa Beti.

Nilton: Entrem! Entrem!
Marcos: Esta é minha esposa Beti.
Nilton: Muito prazer. E esta é minha esposa Vera.
Vera: Muito prazer.
Nilton: Foi fácil achar a nossa casa?
Marcos: **Facílimo.** Levei somente 15 minutos de nossa casa até aqui.
Nilton: Sentem-se! O que vocês gostariam de beber?
Beti: Eu gostaria de tomar um suco bem gelado. Está muito quente, **não está?**
Vera: Sim, está muito quente mesmo.
Nilton: E você, Marcos?
Marcos: Gostaria de uma caipirinha.
Vera: Vocês já estão acostumados aqui nesta cidade?
Beti: Sim, já. E meu trabalho fica perto de casa. Posso ir a pé. Marcos também poderia ir a pé, mas é um pouco preguiçoso, **não é?**
Marcos: Ah, eu sou muito preguiçoso, principalmente de manhã. Sempre vou para o trabalho de carro.

De repente, apaga a luz.

Nilton: O que será que aconteceu?
Vera: Não sei. Mas vou pegar uma vela. Não podemos ficar no escuro.
Marcos: Eu tenho um isqueiro aqui. Posso acender a vela.
Vera: Pronto. A vela está aqui.

Marcos acende a vela e Nilton abre as janelas porque faz calor. Mas...

Vera: Oh! Que vento! Apagou a vela.
Nilton: Deixe! Agora eu acendo a vela. O isqueiro, por favor?

RESPONDA

1. O que Nilton é de Marcos?

___

2. Foi difícil chegar na casa de Nilton e Vera?

___

3. Quanto tempo Marcos e Beti levaram para chegar?

___

Complete com o pretérito perfeito do indicativo:

Beti e Marcos ___ (visitar) Nilton e Vera. Nilton ___ (perguntar) o que eles gostariam de ___ (beber).
Marcos ___ (pedir) uma caipirinha e sua esposa ___ (pedir) um suco.
De repente, a luz ___ (apagar). Vera ___ (ir) buscar uma vela e Marcos a ___ (acender) com seu isqueiro. José ___ (abrir) as janelas, e vento ___ (apagar) a vela novamente.

FOCALIZAÇÃO

superlativo absoluto

adjetivos	***superlativo***
moderno	moderníssimo
alto	altíssimo
barato	baratíssimo
caro	caríssimo
chato	chatíssimo
baixo	baixíssimo
perto	pertíssimo

Complete os diálogos:

– Não comprei os quadros.
– Mas você gostou tanto deles.
– É verdade.
Mas infelizmente eram ___ (caro).

– Onde fica o Hotel Ipanema?
– Ali, depois do semáforo. Fica ___ (perto) daqui.

Formas especiais para o superlativo de alguns adjetivos:

fácil	*facílimo*	pobre	*paupérrimo*
bom	*ótimo*	difícil	*dificílimo*
magro	*magérrimo*	mau/ruim	*péssimo*
amável	*amabilíssimo*	feliz	*felicíssimo*
amigo	*amicíssimo*	confortável	*confortabilíssimo*

ATIVIDADE

Escreva duas situações em que alguém poderá ficar:
a. chateadíssimo
b. desapontadíssimo
c. irritadíssimo
d. felicíssimo

POSSO AJUDÁ-LA?

PREPARANDO-SE PARA O CARNAVAL

Alice e Márcia saem para comprar máscaras para o carnaval.

Alice: Veja aquelas máscaras. São lindíssimas.
Márcia: Estou na dúvida. Qual delas devo comprar?
Alice: Posso **ajudá-la?** Você quer um palpite?
Márcia: Claro!
Alice: Acho que esta aqui, com flores, combina mais com seu rosto e seu cabelo.
Márcia: Obrigada pela ajuda. Acho que você tem razão.

A SEU VER

1. Acessórios extravagantes combinam com uma pessoa tímida?
2. Tem a ver com o quê?
3. Descreva uma pessoa extrovertida.

PRATICANDO

Vou ajudar Maria. **Vou ajudá-la.**

1. Vou comprar a máscara.
____
2. Vamos dar o presente.
____
3. Nós vamos comprar os quadros.
____
4. Ela vai fazer as malas.

FOCALIZAÇÃO

pronomes pessoais

masculino	feminino
lo - los	la - las

Complete o diálogo usando lo - la - los - las:

Luís: Hoje vou comprar minha fantasia para o carnaval.
Ana: Onde você vai comprá- _____?
Luís: Nas Lojas Americanas. E você?
Ana: Eu não vou comprar fantasia. Eu vou alugá-___.
Luís: E os sapatos?
Ana: Vou comprá-____ na Loja O Rei dos Calçados.
Luís: Boa idéia. Ouvi dizer que essa loja está fazendo liquidação.
Ana: É verdade. Os calçados estão muito baratos.
Luís: Acho que vou com você até lá. Estou precisando comprar sapatos, também.

COM QUE FANTASIA VOCÊ PULARIA O CARNAVAL?
( ) de palhaço ( ) de rei ( ) de rainha ( ) de princesa ( ) de marinheiro ( ) de pirata

USANDO O SUPERLATIVO

(magro) Aquelas crianças estão **magérrimas.**

1. (barato) Aquele apartamento está ____________________,
   mas aquela casa está (caro) ____________________.
2. (chato) Este programa de televisão é ____________________.
3. (difícil) Os testes foram ____________________.
4. (amável) Meus vizinhos são ____________________.
5. (moderno) Este tecido é ____________________.

Responda:

1. A última festa de aniversário que você foi estava: ( ) animada ( ) animadíssima
2. O último livro que você leu foi: ( ) interessante ( ) interessantíssimo
3. Os últimos sapatos que você comprou são: ( ) confortáveis ( ) confortabilíssimos

Compare as respostas com um colega.

PRATICANDO

– Quem vai apagar a vela?
– Luisinho vai apagá-la.

– Quem vai fatiar a carne?
– Alice ________________

– Quem vai comprar a lava-louças?
– Nós ________________

– Quem vai tirar o prato do microonda?
– Eu mesma ________________

– Quem vai passar a manteiga nos sanduíches?
– Raul ________________

– Quem vai estourar a pipoca?
– Luís ________________

– Quem vai assar o leitão?
– Meu cunhado ________________

Dos produtos abaixo, quais podem derreter?

( ) trigo
( ) cebola
( ) sorvete
( ) manteiga
( ) chocolate

APONTEM-NO, POR FAVOR

FOCALIZAÇÃO
pronomes pessoais
no - na - nos - nas

Desliguem ***a copiadora*** porque ela pifou.
Desliguem-***na.***

a copiadora

Arrumem ***a mesa.***

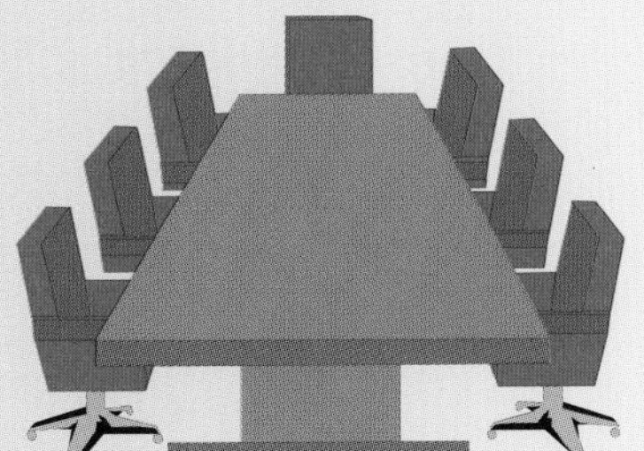

a mesa e as cadeiras

Tirem ***as canetas*** do estojo.

as canetas

o estojo

____

Carimbem ***as cartas.***

o carimbo

____

os clips

Comprem ***o apontador, o grampeador e os clips.***

o apontador

o grampeador

É importante, importantíssimo ou ***não é importante?***

1. Fazer amizade com os vizinhos. _______________
2. Não desperdiçar energia elétrica. _______________
3. Remendar as meias furadas. _______________
4. Estar sempre disposto. _______________
5. Tirar o pó dos móveis todos os dias. _______________
6. Comer alimentos preparados a vapor. _______________

EMPREGADAS DOMÉSTICAS

Em muitos países do mundo não há mais empregadas domésticas. Isto faz com que os homens ajudem nas tarefas em casa, cada vez mais.

Em grupos de três ou quatro: separem as atividades que são atribuídas aos homens nos serviços domésticos.

- varrer calçadas
- passar roupas
- cortar grama
- pintar muros
- consertar telhados
- tirar o pó dos móveis
- pendurar quadros ou outros objetos
- passar o aspirador de pó
- encerar o assoalho
- polir os móveis
- engraxar sapatos

Em seu país há empregadas domésticas? ________ Elas são mensalistas, diaristas ou trabalham por hora?

____

Elas têm direitos trabalhistas (férias, direito à aposentadoria)?

____

Quanto elas cobram por hora? ______________________

Para enxugar a louça é necessário:

( ) flanela　　( ) esponja de aço
( ) guarda-pó　　( ) pano de prato

Para lavar a louça é necessário usar:

( ) uniforme　　( ) detergente
( ) avental　　( ) luvas

ANTIGAMENTE EU JOGAVA VÔLEI

COMPARANDO O PASSADO COM O PRESENTE

Dê continuidade às seguintes situações:

1. *Morávamos num apartamento menor e meu espaço de trabalho era um canto da sala, adaptado com uma divisória. Hoje, felizmente* __________________

____

2. *A funcionária da limpeza sempre me dizia, ao passar o aspirador de pó: "não precisa sair daí não, é só levantar os pés". Mas, hoje em dia, eu reconheço que é necessário valorizar mais* ________________________

____

3. *Era muito difícil quando queria dormir e o cachorro do vizinho começava a latir por causa de qualquer barulho. Então, decidi* ____________________

____

4. *Quando era criança, nos anos 60, minha avó e suas amigas sonhavam em trabalhar fora. Mas, atualmente, as mulheres* ____________________

____

5. *Antigamente, aprender a costurar, bordar, fazer tricô e cozinhar fazia parte da educação das mulheres. Hoje em dia é raríssimo* ____________________

____

FOCALIZAÇÃO

Verbos em *-ar*
Modo indicativo

jogar

Pretérito imperfeito

eu	**jogava**
ele - ela - você	**jogava**
nós	**jogávamos**
eles - elas - vocês	**jogavam**

jogar vôlei

Observe

Antigamente
Naquele tempo
Naquela época

Complete com os verbos indicados:

JOGANDO CARTAS

– O que você ____ (fazer) ontem?
– _____ (ir) à casa de meu amigo jogar cartas.
– Você ganhou ou _______ (perder)?
– Eu _______ (perder).
– Outra vez?
– Sim.
– Que azar!
– É verdade. Antigamente eu sempre __________ (ganhar).
Mas não faz mal. Eu sempre _____ (jogar) somente para me distrair.
Eu nunca jogo a dinheiro.

Que riscos um jogador corre se ele sempre jogar a dinheiro?

ANTIGAMENTE EU FAZIA VESTIDOS DE NOIVA

Oralmente, conjugue os seguintes verbos:

fazer, poder, dizer, trazer, ler, saber, ver, viver, rever, desfazer, esquecer

FOCALIZAÇÃO
Verbos em *-er*
Modo indicativo

	fazer
pretérito imperfeito	
eu	**fazia**
ele - ela - você	**fazia**
nós	**fazíamos**
eles - elas - vocês	**faziam**

a grinalda
o véu
o buquê
a noiva

Normalmente, os vestidos de noiva são bordados à mão.

Pretérito perfeito ou imperfeito?

A Casa Canadá, sob a direção de Mena Fiala e sua irmã Cândida, __________________ (inaugurar) os desfiles de moda no Brasil, nos anos 50, à maneira das grandes *maisons* de Paris, contratando manequins exclusivas, uma novidade para a época. Elas ____________ (encantar) a platéia exigente que ____________________ (freqüentar) os lançamentos. A Casa Canadá _____________(fechar) em 1966, quando _______________ (morrer) seu proprietário. Então, dona Mena _________________ (transferir) o ateliê para sua casa. Mas, depois que sua irmã ____________ (morrer), em 92, ela vem se dedicando unicamente à criação de vestidos de noiva, com bordados extraordinários, que mesclam fios de ouro, prata, cristais, pérolas e contas preciosas. São autênticas jóias que levam quatro meses para ficar prontos. "Quem não se veste de noiva se arrepende", acredita.

Fonte: Revista Cláudia, fevereiro/96.

Observe

Ela vem se dedicando = ela está se dedicando

DISCUSSÃO

Hoje em dia, as pessoas se preocupam com a moda como antigamente?

Como você se vestiria para ir a:

a) um churrasco
b) um casamento às 10:00 horas
c) um casamento às 20:00 horas
d) um coquetel na empresa
e) um concerto

SUA OPINIÃO

1. O que você achou dos materiais utilizados para a confecção dos vestidos de noiva?

2. Procure saber quanto custa um vestido de noiva.

3. Vale mesmo a pena gastar tanto?

A MÚSICA NO SÉCULO XIX

O maior compositor nacional do século XIX foi *Antônio Carlos Gomes* (1836-1896). Carlos Gomes passou grande parte de sua vida na Itália, onde compôs sua ópera mais famosa, O Guarani, baseada no romance de mesmo nome, de José de Alencar.

Outros compositores

Ernesto Nazareth
Retratou em suas músicas (o chorinho) a atmosfera do Rio de Janeiro antigo com seus tipos característicos: a mulata, o estudante, o militar, o funcionário público.

Chiquinha Gonzaga
Primeira compositora brasileira, criou marchas de carnaval, música para teatro e muitas modinhas populares.

FOTOS / ABRIL IMAGENS

ATIVIDADE

Fale dos trabalhos dos principais compositores de seu país.

SUGESTÃO

Se for possível, apresentar aos colegas uma de suas músicas favoritas explicando a letra.

A música escolhida agrada a todas as faixas etárias?

Quais são os ritmos preferidos pelas pessoas da Terceira Idade para dançar?

ANTIGAMENTE ELE DORMIA BEM, AGORA NÃO

FOCALIZAÇÃO

Verbos em *-ir*
Modo indicativo

ir

	pretérito imperfeito
eu	**ia**
ele - ela - você	**ia**
nós	**íamos**
eles - elas - vocês	**iam**

Complete:

eu dormia
ele ______________
nós ______________
elas ______________
vocês ______________

Oralmente, conjugue os seguintes verbos:

assistir	concluir	dormir
construir	dividir	decidir
cair	ouvir	competir
preferir	sair	discutir

LEVANDO O BEBÊ AO PEDIATRA

– Por que você está tão preocupada?
– Porque meu filho não está dormindo muito bem. Acho que devo levá-lo ao pediatra.
– Antigamente ele __________ bem?
– Muito bem. Mas agora ele acorda freqüentemente à noite e chora muito.

o bebê

o cobertor

Responda:

1. O que é necessário fazer quando os filhos dormem mal?

____

2. O médico que trata de crianças é:
( ) ortopedista ( ) cardiologista ( ) geriatra ( ) pediatra

dormir mal
dormir bem

CURIOSIDADES

Você sabia que...

A montanha mais alta do Brasil é o Pico da Neblina com 3.014 metros de altura?

O beija-flor pesa dez gramas?

A girafa nasce com a altura de um jogador de basquete: dois metros?

Escreva uma novidade ou curiosidade.
Conte para seus colegas, começando com "você sabia que...".

MÚSICA - LATA D'ÁGUA

Samba de L. Antônio
e J. Júnior

Lata d'água na cabeça
Lá vai Maria
Lá vai Maria
Sobe o morro, não se cansa,
Pela mão leva a criança...

Lá vai Maria
Maria lava a roupa lá no alto
Lutando pelo pão de cada dia
Sonhando com a vida do asfalto
Que acaba onde o morro principia.

PRATICANDO

1. d'agua: lata d'água caixa-d'água
copo-d'água
tromba ___________

2. Maria lava a roupa lá no alto. O contrário é:

____

3. "Que acaba onde o morro principia".
O sinônimo de acabar é:

____

Dê dois sinônimos de principiar:
______________ e ______________

4. Faça uma pergunta para a seguinte afirmação:
Maria sonha com a vida do asfalto.

____
____

5. Passe para o pretérito imperfeito:
Ela está sonhando com a vida do asfalto.

____
____

FOCALIZAÇÃO

Verbo *subir* - irregular
Modo indicativo

subir

	presente
eu	subo
ele - ela - você	sobe
nós	subimos
eles - elas - vocês	sobem

imperativo: suba

Escreva as dificuldades e preocupações que as mães têm com seus filhos pequenos, quando trabalham fora.

____
____

Normalmente, quem cuida das crianças pequenas na ausência dos pais?

____

COMPLETE

– Aonde você esteve?
– ________ no banco.
– A esta hora? Ao meio-dia?
– Sim, antigamente eu ____ (ir) à tarde. Mas agora não.

– O que você fez para o almoço?
– _____ filé, arroz, fritas e salada.
– Antigamente você nunca _______ filé.

– O que você está lendo?
– Eu ______________ um romance policial.
– Antigamente você só ________________ livros sobre política.

– Onde você gosta de correr?
– No Parque Iguaçu.
– Mas antigamente você ______________ no Parque Ipanema.

– A que você está assistindo?
– À novela.
– Mas antigamente você nunca ________.

– Você foi ao aniversário de Ana?
– Sim, _________.
– O que você deu para ela?
– _____ flores.
– Antigamente você _______ livros.

– Por que você está chateadíssima?
– Porque esta saia não me serve mais. Eu engordei um pouco.
– Antigamente esta saia _________ muito bem em você.

– Onde você cortou o cabelo?
– Num salão que fica ali na esquina.
– Antigamente você _______________ num salão que fica no centro.

– O que você gosta de jogar?
– Antigamente ____________ de jogar dominó. Mas agora gosto de jogar cartas.

– Luís perdeu todos os documentos.
– Antigamente ele nunca ________ nada. Mas agora...

COMPLETE OS DIÁLOGOS

– Antigamente eu_________________ (pensar) muito em estudar piano.
– E agora?
– Agora eu ___________ em estudar guitarra.

– Antigamente eu não _____________ (confiar) em José.
– E agora?
– Agora eu ___________ nele.

– Antigamente eu não _____________ (acreditar) no governador.
– E agora?
- Agora eu _________ nele porque ele está fazendo muitas obras.

Normalmente, que cursos muitas pessoas começam a fazer e depois desistem?
____

Quais são as causas mais comuns?
____

ETIQUETA - TIRANDO DÚVIDAS

GUARDANAPO DE PAPEL

Devo colocar o guardanapo de papel no colo, durante as refeições? E onde devo deixá-lo ao acabar de comer?

*Ele deve ser colocado no colo mantendo uma dobra para não escorregar facilmente. Quando terminar a refeição, **coloque-o** ao lado do prato.*

COMO SERVIR CAFÉ

Trabalho numa empresa de médio porte e tenho uma dúvida: na hora de servir o café, posso deixar a bandeja em cima da mesa para cada um pegar a sua xícara?

***Deixe-o** na mesa numa bandeja para que cada um se sirva.*

Fonte: Revista Cláudia, nº 3, ano 35.

PRATICANDO

Comprei os sapatos.
Comprei-os.

1. Chamei o médico. ________________
2. Descasquei as batatas. ________________
3. Consertou a geladeira. ________________
4. Apontou os lápis. ________________

Observe como fica quando a frase começa com pronomes:	**Eu comprei os sapatos.** ***Eu os comprei.***

1. Eu comprei os sapatos. ________________
2. Ele consertou o rádio. ________________
3. Eu chamei o médico. ________________
4. Eu li o livro. ________________
5. Ela comprou a casa. ________________
6. Eu limpei a sala. ________________

ANTIGAMENTE VOCÊ:

a. estava sempre com insônia?
b. reclamava de tudo?
c. estava sempre irritado?
d. chegava sempre atrasado?
e. esquecia a chave do carro em qualquer lugar?

NA SEMANA PASSADA, VOCÊ:

a. perdeu dinheiro ou documentos?
b. esqueceu seus documentos?
c. pagou alguma multa?
d. chegou atrasado ao trabalho?
e. queimou a língua tomando café?

Se alguma resposta foi afirmativa, dê mais detalhes.
Exemplo: quando, onde e o que fez para resolver o problema.

DÊ UMA DESCULPA

Um conhecido o convidou para jantar e você não está com vontade de aceitar o convite. Razão: ele é um chato.
Dê uma desculpa:

____

____

Dois amigos de seu irmão querem posar na sua casa no próximo feriadão. Um deles terá de dormir no seu quarto e você não gostou da idéia. *Dê uma desculpa:*

____

____

Seus vizinhos querem viajar e pediram para você alimentar os seus cachorros, mas você não quer se responsabilizar pelos animais. *Dê uma desculpa:*

____

____

____

____

Complete o diálogo, dando uma boa desculpa para não emprestar o colar:

– Tudo bem, Júlia?
– Tudo. E você?
– Muitíssimo bem. Sabe, fui convidada para uma grande festa no próximo sábado. Então, eu me lembrei daquele seu colar de pérolas.
– Não diga! Que coindidência! Eu gostaria muito de ____________________
____________________, mas ____________________
____
– Que pena!

Continue as frases:

1. Eu sempre me **lembro de** ____________________
2. Às vezes, eu me **esqueço de** ____________________
3. Eles já **acabaram de** ____________________
4. Você **começou a** ____________________
5. Nunca **acreditei em** ____________________
6. Ele vai **confiar em** ____________________
7. Gosto de **ensinar a** ____________________
8. Você já **aprendeu a** ____________________
9. Você já **terminou de** ____________________

DEIXE SEU RECADO

RECADOS

PRATICANDO

Deixe o recado.
Deixe-o.

Desligue o telefone.
____

Ouça a mensagem.
____

Ouça os recados.
____

Compre o livro.
____

Escreva os recados.
____

Escreva as cartas.
____

BILHETES

Minha filha,

Quando chegar, chame o encanador. A torneira da banheira está com problemas.

Um beijo,
mamãe

Papai,

Preciso de mais dinheiro.
Por favor, deixe-o em cima da mesa, dentro de um envelope.

Sua filha querida,
Aninha

ATIVIDADE

Escreva um bilhete para seu irmão caçula.
Assunto: Fazer um lanche.
Motivo: Você vai chegar em casa em cima da hora para viajar. Além disso, ainda precisa fazer as malas.

____

____

____

____

FORMAS DE PAGAMENTO

NA LOJA

– Gostei muito dessa bolsa. Quero comprá-la.
– A senhora conhece nossas formas de pagamento?
– Não.
– À vista, a prazo ou com cartão de crédito. A prazo, é possível fazer em duas, três e até quatro vezes.
– E o juro?
– Em duas vezes não tem juro. Três e quatro vezes, o juro é de 5%.
– Então, prefiro pagar em duas vezes.
– A senhora já tem ficha aqui conosco?
– Não.
– Por favor, me acompanhe até o crediário. Fica na sobreloja.
– Demora muito?
– Não, é rapidinho.
– Tudo bem. Vamos.
– Por ali, por gentileza. Vamos pela escada.

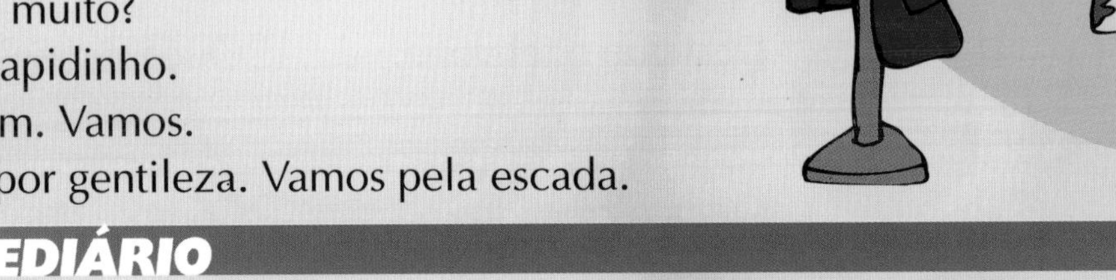

NO CREDIÁRIO

– Por favor, preciso de um documento.
– Pode ser Carteira de Identidade?
– Está perfeito.
– Qual é o seu endereço?
– Avenida Silveira, nº 23.
– Dá para soletrar?
– Pois não. S - I - L - V - E - I - R - A.
– Por favor, preencha esta ficha com letra de forma.
– Tudo bem.
– A senhora poderia aguardar um pouco? Em dez ou quinze minutos sua ficha estará aprovada.
– Claro!
– Obrigada.

Informações

1. Quais são as formas de pagamentos em seu país?
2. Vale a pena pagar juro ou é melhor esperar uma oportunidade para comprar à vista?
3. O que acontece a um cliente quando compra a prazo e não paga?
4. Há muita burocracia para fazer uma ficha?
5. Como são os nomes das ruas? São usados números e letras ou nomes de pessoas?

ANTIGAMENTE

Quando eu era criança brincava muito. Eu também dava gargalhadas com muita facilidade.
Eu tenho cabelos castanhos, mas agora pinto meu cabelo de loiro.

FOCALIZAÇÃO

Verbos irregulares
Modo indicativo

ser - ter - vir - pôr

Imperfeito

	ser	ter	vir	pôr
eu	era	tinha	vinha	punha
ele - ela - você	era	tinha	vinha	punha
nós	éramos	tínhamos	vínhamos	púnhamos
eles - elas - vocês	eram	tinham	vinham	punham

As pessoas que sofrem ataque cardíaco e se recuperam, normalmente, mudam os hábitos de vida? ________________
Compare: o que elas faziam antigamente e o que fazem agora?

____

CURIOSIDADE

DAR GARGALHADAS é um tratamento preventivo para doenças como hipertensão, insônia e stress. Bastam três sessões diárias: pela manhã, depois do almoço e depois do jantar.

Complete:

Quando eu ________ (ser) jovem, ________ (ter) muitos sonhos. Hoje ________ (ser) feliz porque __________ (conseguir) realizar muitos deles. Mas, muitas vezes, ***comi o pão que o diabo amassou***.

Descreva uma situação em que é possível dizer "comer o pão que o diabo amassou".

DISCUSSÃO:

O que é necessário fazer para vencer na vida?

____

O sucesso depende de sorte?

____

ONDE ELAS FICAM BEM?

A dama das bromélias

CARLOS CUBBI / ABRIL IMAGENS

As bromélias atraem quem admira o belo. Margareth Mee, artista plástica inglesa que viveu no Brasil durante 35 anos, dedicou-se durante grande parte de sua vida à reprodução de bromélias em aquarela. Ela fazia pinturas para o Instituto de Botânica de São Paulo (IBt), onde trabalhou na década de 60, e conseguia, como nenhum outro artista, mostrar a plasticidade dessa planta. Além de pintar, Mee ajudou a classificar bromélias da Mata Atlântica e da Floresta Amazônica. Em 1992, o IBt reuniu 56 de suas aquarelas e as reproduziu no livro **Bromélias Brasileiras.**

FERNANDO LEMOS / ABRIL IMAGENS

MILTON SHIRATA / ABRIL IMAGENS

Fonte: Revista Cláudia, ano 20, nº 12-A, edição especial

RICARDO CHAVES / ABRIL IMAGENS

Aquarela de Margareth Mee

Você conhece plantas que têm espinhos? Quais?

____

____

Onde elas ficam bem?

____

____

REVISÃO

Descreva o homem ao lado.

Dr. Ivo Lima

____

____

____

____

Na minha juventude eu ________ (pensar) muito em ser feliz. ______ (ser) muito dedicado aos estudos e ao trabalho. Valeu a pena.

Responda

O que vale a pena fazer na juventude?

____

____

____

____

____

____

____

____

____

Observe

adjetivos

simpático/s/a/as
antipático/s/a/as

LEMBRETE:
PENSAR EM...

Complete com: *tem, teve* ou *tinha*:

Uma pessoa normal _________ de 120 mil a 150 mil fios de cabelo na cabeça.

Complete com: *cresce, cresceu* ou *crescia*:

O cabelo ____________ cerca de vinte centímetros por ano.

Complete com os verbos indicados:

Em ocasiões especiais, as tribos de beduínos da África recheavam um peixe com ovos. O peixe _______ (ser) colocado dentro de uma galinha. A galinha _______ (ser) colocada dentro de uma ovelha. A ovelha _______ (ser) colocada dentro de um camelo. Finalmente, o camelo _______ (ser) assado.

Complete com os pronomes adequados:

1. Vamos rechear **o peixe?**
   Vamos recheá- ______.

2. Vamos assar a carne.
   Vamos assá- ________.

3. Ponham o quadro ali.
   Ponham- ____ ali.

4. Deram o dinheiro.
   Deram- ____________.

5. Eu li o jornal.
   Eu _____ li.

6. Ela vendeu o carro.
   Ela ____ vendeu.

ENQUANTO O ARTISTA FAZIA MÁGICAS, AS CRIANÇAS OLHAVAM

FOCALIZAÇÃO

Usa-se o pretérito imperfeito do indicativo em quatro situações distintas:

1. Com **antigamente - naquele tempo - naquela época**
   Para expressar uma ação habitual no passado.
   Ex.: Antigamente eu estudava piano.

2. Com **enquanto**: duas ou mais ações simultâneas.
   Característica do verbos: ação longa.
   Ex.: Na festa, ontem, nós dançávamos enquanto os outros conversavam.

3. Com **quando**: duas ou mais ações simultâneas.
   Características dos verbos: ação longa e ação rápida.
   Ex.: Nós almoçávamos quando Luís chegou.

4. Para **descrição**: de um estado ou condição no passado.
   Ex.: Ontem, no centro, todos olhavam o incêndio do edifício com muita curiosidade.

COMPLETE O DIÁLOGO

– Aonde vocês ______ (ir) ontem?
– Levamos as crianças ao circo.
– E elas gostaram?
– Demais!
– E também se comportaram bem?
– E como! Enquanto o artista _____________ (fazer) as mágicas as crianças nem _______________(mexer-se).

Você sabia? Quem faz mágicas é **mágico.**

RESPONDA:

Na sua opinião, quem é o maior mágico do mundo? ______________________

O que ele já fez que mais o deixou impressionado? ______________________

PIADA DE VENDEDOR

O balconista de uma loja de roupas finas consulta, discretamente, o gerente:

– O freguês quer saber se aquele conjunto de lã importado encolhe.
– Ele já experimentou?
– Já.
– Ficou pequeno?
– Não, ficou grande.
– Então diga que encolhe.

OBSERVAÇÕES

1. de uma - *de umas*
de um - *de uns*

2. – Ele já experimentou?
– Já.

PRATICANDO

a. de uma loja
____

b. de uma rua
____

c. de um prédio
____

d. de um banco
____

– Ele já provou?
– ______________

– Ele já consertou?
– ______________

– Ele já instalou?
– ______________

– Ele já amarrou?
– ______________

ATIVIDADES

1. Pergunte ao seu colega se:
a) ao comprar uma roupa ele observa o acabamento e a qualidade do tecido
b) ele prefere comprar roupas prontas ou mandar fazer sob medida

2. Escreva uma piada.

3. Conte-a ao grupo.

NUMA LOJA

– Gostaria de provar aquela camiseta que está na vitrina.
– Qual delas? Com ou sem mangas?
– Com mangas.
– Nós só temos tamanho P, infelizmente.
– Que pena. E sem mangas?
– Temos todos os tamanhos e todas as cores.
– Então vou provar uma azul marinho, tamanho G.
– Pois não. O provador fica ali no canto, ao lado da escada.
– Obrigado.

Comenta o supersticioso com um amigo:
– Eu nasci às 6 horas do dia 6 do mês 6, no quarto número 6 da maternidade. Quando fiz 6 anos de casado, comprei um bilhete final 006 e ganhei 6 milhões. Aí fui ao hipódromo e joguei no cavalo número 6, no sexto páreo.
– Puxa! E quanto você ganhou?
– Nada. O cavalo chegou em sexto lugar.

Fonte: Mais Mil Piadas do Brasil, Ed. Nova Alexandria, pág. 156

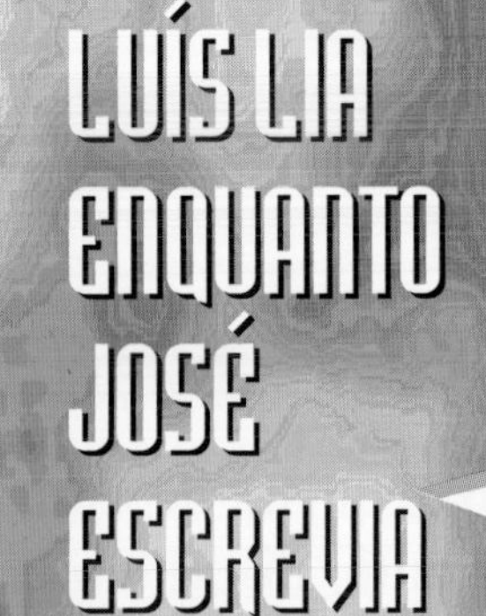

Luís ____________ enquanto José _______________

Carlos _____________ enquanto Jorge ___________________

nadava = estava nadando	**ver** = estava vendo	**ir** = estava indo
falava = estava falando	**ler** = estava lendo	**rir** = estava rindo

CONTINUE...

1. Na festa, enquanto dançávamos, as crianças ____________________________________
2. Na fazenda, enquanto o veterinário ____,
   os peões ____
3. No restaurante, enquanto os garçons serviam, os clientes _________________________
4. Na rua, muitas pessoas __________________________, enquanto os policiais
   ____
5. No shopping, muitas pessoas olhavam as vitrinas, enquanto outras _________________
6. No aeroporto, muitos passageiros esperavam, enquanto as aeromoças _______________
7. Na chegada do presidente ao hotel, muitos curiosos ____________________________,
   enquanto outros pedestres nem ____

FIQUEI DE CAMA

– Ontem vocês _____ (ir) ao Bar Dó-Ré-Mi?

– Sim, __________. Queríamos muito assistir à apresentação de João Carlos. Foi uma noite agradabilíssima. Enquanto ele cantava nós _________________________. A propósito, por que você não foi lá?

– Eu gostaria muito, mas fiquei de cama. Estava com febre e tossia muito.

– Que pena! Você perdeu um grande show.

ATIVIDADE

Pergunte ao seu colega:

1. se alguma vez ele deixou de assistir a um espetáculo ou deixou de ir a algum lugar porque **ficou de cama**
2. se ele ficou de mau humor ou nem ligou

NO BAILE

– *Aonde você foi ontem?*
– *Fui ao baile.*
– *Com quem você dançou?*
– *Com Marcos. Mas ele só me tirou para dançar no final do baile. Você acredita?*
– *Acredito. Marcos é muito tímido.*
– *Nós ___________ (dançar)* **quando** *o baile___________(terminar).*
– *Que pena!*

Comente sobre as atitudes dos rapazes e moças em bailes.

____

____

Flávio tomava sol na praia, quando, de repente, olhou para a sua pele: estava vermelha como pimentão.

Cuidado! Nos primeiros 20 minutos de sol, a pele fica avermelhada. Depois, vai arder, queimar e descascar. E você sofrerá muito. Tome os devidos cuidados ao se expor ao sol.

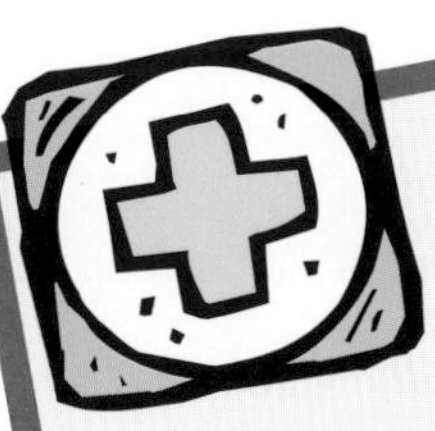

PRONTO-SOCORRO DE VERÃO

Primeiro: saia do sol.
Segundo: não passe óleos gordurosos na pele.
Terceiro: vá ao dermatologista.

Fonte: Revista Corpo a Corpo, Ano IX, nº 86.

Como as pessoas se queixam de queimaduras?

____

____

____

ESTÁ EM FALTA

QUE COISA!

Observe as seguintes situações:

1. Você está com fome. Abre a geladeira e não tem nada nem para comer e nem para beber.

2. Você precisa escrever uma carta e abre as gavetas do armário. Não tem nem papel nem caneta.

3. Você tem que ir a uma festa. Abre o guarda–roupa e não tem nada apropriado para vestir.

Então, você decide fazer compras. Onde compraria o que precisa?

Eu compraria ______________________________ na Papelix, ________________________ na Última Moda e ______________________ na panificadora.

Você sabe quais são as cores que estão na moda?

____

Você tenta seguir as cores da moda ou não liga para isso?

____

Complete os diálogos:

– *Por que Luisinho está tão triste?*
– *Ele acha que seu pai não liga muito para ele.*
– *Que exagero! Não é verdade. É claro que seu pai _______ para ele.*
– *Eu também acho. Ele está com ciúme, isso sim.*

– *Por que você está chateada?*
– *Porque meu namorado não liga mais todos os dias.*
– *Ora! Só por isso? Mas ele é tão ocupado.*
– *Antigamente ele _______________ todos os dias.*
– *Mas você _____________(precisar) entender. Ele trabalha de dia e estuda à noite. Acho que você é muito ciumenta.*
– *Talvez.*

LIGAR =

importar-se
telefonar

ESTAR COM CIÚME =

ser ciumento/a/os/as

ELE ERA UM HOMEM

O BICHO

Manuel Bandeira

Vi ontem um bicho
Na imundície do pátio
Catando comida entre os detritos.

Quando achava alguma coisa,
Não examinava nem cheirava:
Engolia com voracidade.

O bicho não era um cão.
Não era gato.
Não era um rato.

O bicho, meu Deus, era um homem.

Obra Completa, Rio de Janeiro, Aguilar, 1967

O autor nasceu em Recife, no estado de Pernambuco e faleceu em 1968. É considerado um dos poetas mais ilustres da Literarura Brasileira.

Catar = pegar, apanhar
Catar lixo = pegar lixo
Catadores de papel

SUA OPINIÃO

O que seria necessário fazer para terminar com o problema da fome no mundo?

Observe os verbos:

***achar, examinar, engolir* e *cheirar*:**

perfeito	**imperfeito**
eu achei	achava
eu examinei	________
eu engoli	________
eu cheirei	________

Na segunda estrofe foi necessário usar o pretérito imperfeito porque:

( ) os fatos aconteceram continuamente
( ) os fatos aconteceram somente uma vez

QUANDO EU ERA CRIANÇA...

Perfeito ou imperfeito do indicativo?

– Ontem eu __________ (comprar) um par de tênis novos.
– Já? Você _________ (comprar) tênis outro dia!
– Foi há três meses, na verdade.
Sabe, eu ___________ (estar) começando a perder o equilíbrio, ____________ (sentir) dores nos calcanhares, com freqüência, durante as aulas de ginástica. Além disso, anteontem, um deles _________ (furar).
– E quanto você pagou por eles?
– R$ 120,00.
– Nossa! Os preços de tênis **estão pela hora da morte.**
– Se estão.

Cite:

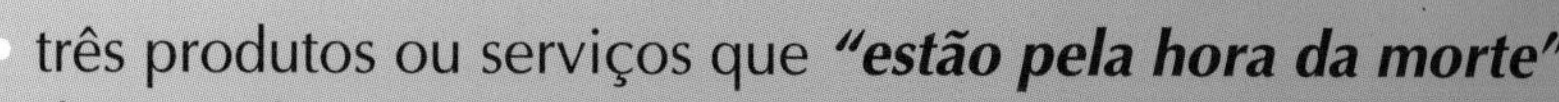

- três produtos ou serviços que ***"estão pela hora da morte"***
- dois produtos ou serviços que ***"estavam pela hora da morte"***

Quando eu era criança...

Ajuda:

TER = HAVER
(tinha = havia)

Escreva:
a) o que havia perto de sua casa
b) sobre a vizinhança
c) sobre os meios de transporte e comunicação
d) a respeito do custo de vida
e) sobre os divertimentos
f) o que era possível fazer nos fins de semana

Antigamente eu...

Passe o texto abaixo para o pretérito imperfeito:
Apóie os braços num suporte, com os dedos virados para a frente e a coluna alinhada. Mantenha os pés ligeiramente afastados e os joelhos flexionados em 90 graus. Flexione os braços, desça o corpo e flexione as pernas. Faça três séries de dez repetições, três vezes por semana.

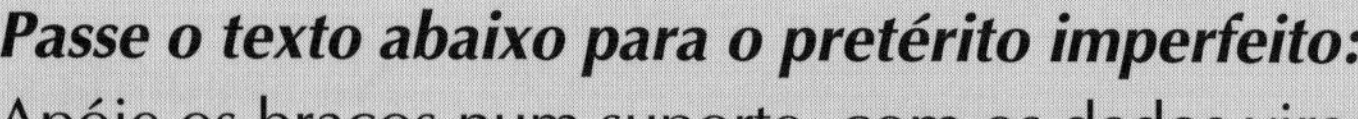

"Há aulas especiais de ginástica para as pessoas da terceira idade."
Explique as razões.

ESTOU PERDIDO

Luís está perdido. Então, telefona para seu irmão e pede mais informações:

Luís: *Jorge, estou perdido.*
Jorge: *Mas você não viu a placa "Fazenda Rio Claro" depois do posto?*
Luís: *Não. Já passei uns dez quilômetros do posto e não vi nenhuma placa.*
Jorge: *Mas havia uma placa!*
Luís: *Então, alguém a tirou de lá.*
Jorge: *Provavelmente. Acho melhor você voltar para o posto. Vou encontrá-lo daqui a meia-hora.*

– Tinha uma placa?
– ____________________

– Havia uma placa?
– ____________________

Observação: Uso do verbo haver *no imperfeito do indicativo*

Na semana passada:

A. havia muita gente na fila quando você foi ao banco?
b. havia muitas mesas vazias no restaurante?
c. havia muitas frutas e verduras frescas na feira?
d. havia muitas poltronas vazias quando você chegou ao cinema?
e. havia muita gente quando você chegou ao supermercado?
f. havia muitos carros quando você saiu do estacionamento?
g. havia um acidente na estrada quando você voltou da praia?

Ontem havia muitas nuvens no céu durante o dia?

____

PESADELOS? SUSTOS? MEDO?

Complete com o pretérito perfeito ou imperfeito do indicativo

Quando eu __________(ter) dezoito anos, às vezes, à noite, _________(acontecer) algo estranho. Eu ___________(costumar) dormir lá pelas dez horas. Mas, depois de duas ou três horas, _________(acordar) assustado e com medo porque (ouvir) sempre um barulho estranho. _________(acender) a luz e ___________ (olhar) atrás das cortinas e dentro do guarda-roupa, mas nunca _____________ (achar) nada.

Finalmente, um dia, eu _______________(descobrir) que meu irmão caçula ______________(colocar) uma caixa cheia de pedrinhas, amarrada a um barbante, embaixo do nosso beliche. Quando ele __________(ter) certeza de que eu estava dormindo, ele ___________(puxar) o barbante com força. Assim, a caixa___________(balançava) e, é claro, ___________(fazer) barulho. Para ele _________(ser) muito fácil fazer esta brincadeira porque eu _________(dormir) na cama de cima do beliche.

PRATICANDO

Luís e Ivo trabalhavam enquanto você____________

Lúcia passava roupas enquanto Ana _____________

O pai olhava enquanto o filho _________________

A filha segurava a muda da árvore enquanto o pai ____________________

A família comia e conversava enquanto o cachorro ______________________

O paciente estava calmo enquanto o médico ________________________

ATIVIDADE

falava = estava falando

1. vendia = ____________________
2. lia = ______________________
3. via = _____________________
4. fazia = ____________________
5. andava = ____________________
6. ia = _______________________
7. saía = _____________________
8. trazia = ____________________

ELES DEVEM SER TURISTAS

EM FÉRIAS

- Veja aquele casal ali no meio da quadra, em frente à loja Lembranças do Brasil.
- Você acha que eles são turistas?
- Devem ser, pela maneira como estão vestidos, tão descontraidamente.

DESCANSO MERECIDO
Dias de férias remuneradas que os trabalhadores têm direito após um ano de serviço:

No Brasil	***30***
Na Dinamarca	***30***

E em seu país? ________________

Observe

Para expressar possibilidades:
deve ser
deve estar

DEVE SER ou DEVE ESTAR?

– Por que seu bebê está chorando tanto?
– Ele _________ com fome.
– Ele _________ com sede.
– Ele _________ com sono.

O que fazer?
– dar mamadeira
– trocar fralda
– cantar canções de ninar
– dar banho
– colocar no berço
– pegar no colo

– Alguém está tocando a campainha.
– ___________ Marcos.
– Talvez. Ele me disse que viria aqui hoje. Vou atender a porta.
– Deixe. Eu atendo.

SOBRE VOCÊ

Quando vai entrar em férias? ______________________________

____

ELES SÃO MUITO PARECIDOS MESMO!

COMPLETE O DIÁLOGO

– Quem é aquela menina?
– É Rita, irmã de Paulinho.
– Ela é mais velha do que ele?
– Sim. Mais velha e mais alta, também. Eu acho os dois muito parecidos.
– É mesmo.

adjetivo:
parecido/a/os/as

Complete:

– Eu sou ___________ com minha mãe. Meu irmão é ___________ com meu avô.

– Com quem você é ______________?
– Eu não sou ______________ com ninguém da minha família.
– Minhas irmãs são ___________ com minha mãe e eu sou ______________ com meu pai.

1. Gêmeos, normalmente, são muito parecidos?
   ____
2. Você conhece gêmeos que não são parecidos? Quem são?
   ____
3. Com quem você é parecido? ______________________

COMPLETE O DIÁLOGO

Maria e Carlos _______(ter) dois filhos. Um menino de três anos e uma menina que _________(nascer) há somente uma semana.

Filho: *Mamãe! Ela é muito __________ comigo quando eu _______(ser) bebê. Você não acha?*

Mãe: *É verdade, meu bem. Mas você _________(chorar) demais. __________(estar) sempre com fome.*

QUE PLANTINHA LINDA!

Márcia recebeu a visita de uma prima que mora no exterior, em Lisboa. Elas não se viam há três anos.

LUIZ R. PEREIRA / ABRIL IMAGENS

VIVO CANSADA

- A sua casa é incrível!
- Obrigada. Ela é enorme. Tem dois andares, cinco quartos, quatro banheiros, um escritório e uma pequena biblioteca.
. E quantas salas?
- Três.
. E escadas?
- Duas e cada uma tem 20 degraus. Vivo cansada. Às vezes, nós pensamos em morar num apartamento. Deve ser mais prático e não dá tanto trabalho.
- Veja ali no canto, que **plantinha** linda!
- É verdade. É muito **bonitinha**. Eu a ganhei de meu filho.
- Eu moro numa **casinha** pequena, mas é muito confortável.
- Deve ser muito bom.
- É mesmo.

FOCALIZAÇÃO

diminutivos

Substantivos:

planta: plantinha
casa: casinha
faca: faquinha
filho: filhinho
pé: pezinho
chapéu: chapeuzinho
café: cafezinho
limão: limãozinho
irmão: irmãozinho
irmã: irmãzinha
mãe: mãezinha
mão: mãozinha
avião: aviãozinho
mulher: mulherzinha

Adjetivos:

bom: bonzinho
grande: grandinho
bonito: bonitinho
querido: queridinho
triste: tristinho
alegre: alegrinho

Advérbios:

perto: ***pertinho***
longe: ***longinho***

– Onde fica o ponto de táxi?
– Fica pertinho daqui.
– E o ponto de ônibus?
– É longinho. Fica a quatro quadras daqui.

pouco: ***pouquinho***

– Você quer café?
– Sim, um pouquinho, obrigado.

Outros casos:

sol: ***solzinho***

– Estava chovendo.
– Mas, agora, felizmente, saiu um solzinho.

tempo: ***tempinho***

– Que tempinho!
– Nem diga!

FOI UM JOGUINHO

QUE JOGUINHO

Mário: *Ontem fui ao jogo e não gostei nada.*
Hugo: *Por quê?*
Mário: *Foi um* ***joguinho.*** *Os dois times jogaram muito mal.*
Hugo: *Não valeu a pena?*
Mário: *Não. Voltei para casa muito irritado e de cabeça inchada. Meu time perdeu de 1 X 0.*
Hugo: *Sinto muito.*

Usa-se também o diminutivo para expressar uma idéia pejorativa ou depreciativa. Para o substabtivo gente podem ser usados os diminutivos gentinha ou gentalha.

Alguma vez você ja ficou de cabeça inchada? _______________

De quanto o seu time perdeu? _______________________________

Como foi a arbitragem do juiz? ____________________________

COMPLETE O DIÁLOGO

– Na semana passada eu _______________(comprar) um livro de 350 páginas.

– Nossa! E você já o _______ (ler)?

– Que nada. Eu __________(parar) na metade. Não _____________(agüentar) porque é muito monótono. Não o recomendo a ninguém. Que livrinho!

Luís: ***Não gosto de minha vizinha. É uma mulherzinha. Reclama de tudo.***
João: ***E eu não gosto do marido dela. Que homenzinho. Pensa que sabe tudo. Vive dando palpites.***

Atividade

1. Crie dois diálogos usando diminutivos.
2. Apresente para o grupo.

QUE PEIXÃO!

DIÁLOGO

– *Nossa! Que peixão! Quem o pescou?*
– *Eu.*
– *Você?*
– *Sim, eu mesmo.*
– *Quanto ele pesa?*
– *Uns quatro quilos.*
– *Você tirou fotografia?*
– *Claro! Senão quem vai acreditar?*
– *Eu sempre acredito em você.*

FOCALIZAÇÃO

aumentativos

masculino	feminino
pé	**mão**
pezão	***mãozona***
pai	**mãe**
paizão	***mãezona***
carro	**colher**
carrão	***colherona***

Adivinhe o nome da cidade.

Clima:	Quente.
Descrição geográfica:	Muitas montanhas e um marzão.
Evento famoso:	Desfile de escolas de samba.
Adivinhe:	Qual é o nome desta Cidade?

____

Resposta ao pé da página

1. Escreva três características de uma cidade e peça ao seu colega que adivinhe o nome dela. ____

____

2. Você sempre fica na fila do banco: ( ) um tempinho ( ) um tempão.

Quais são as melhores alternativas?

( ) O anel tem uma pedrinha.
( ) O anel tem uma pedra.
( ) O anel tem uma pedrona.

( ) Borboletinha.
( ) Borboleta.
( ) Borboletona.

( ) Um gatinho.
( ) Um gato.
( ) Um gatão.

Resposta: Rio de Janeiro

É UMA GRAÇA

EXPRESSÕES

É uma graça. É uma gracinha.
Pessoa ou coisa muito bonita, interessante.

– O cabelo de sua filha está uma graça.
– Obrigada.
– E ela também é uma gracinha.

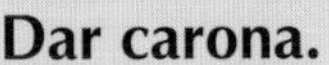

Dar carona.
Levar alguém a algum lugar de carro, de bicicleta, de motocicleta ou de caminhão.

– Você me dá uma carona até o banco?
– Claro. É prá já. Vamos.

Trabalhar de sol a sol.
Começar a trabalhar muito cedo e terminar muito tarde.

– O que você faz?
– Eu sou borracheiro. Minha borracharia fica ao lado do Posto Pinheiro. Eu trabalho de sol a sol.

Virar bicho.
Ficar agressivo por alguma razão.

– Por que você virou bicho?
– Porque minha televisão pifou bem na hora do jogo de futebol.

Levar tudo na flauta.
Não se preocupar, fazer um trabalho sem muita responsabilidade.

– Por que Sílvio não está trabalhando?
– Ele não é muito responsável. Leva tudo na flauta.

ATIVIDADES

a. Escreva se é recomendável dar carona a desconhecidos. Explique as razões.
b. Crie três diálogos usando a expressão "virar bicho".
c. Apresente os diálogos ao grupo.

DEVE SER ou DEVE ESTAR?

PRATICANDO

(cansado) – Eles ***devem estar*** cansados.
1. (chateado) – Elas ______
2. (turista) – Eles ______
3. (rico) – Ela ______
4. (triste) – Eles ______
5. (feliz) – Elas ______
6. (preocupado) – Ela ______

SAÚDE — MENOR E MELHOR

Os chineses baixinhos têm uma expectativa de vida maior que os chineses altos. O artigo, publicado na revista *Notícias Chinesas,* garante que, quando a altura do indivíduo ultrapassa em cinco centímetros a estatura média, seu peso aumenta em pelo menos 16%, causando sobrecarga no coração.
Na China, a estatura média é de 1,65m.
Exemplos que confirmam a tese:

- o homem mais velho da China tem 131 anos, mede 1,40 m e pesa 40 quilos
- a mulher mais velha do país tem 122 anos, mede 1,30m e pesa 30 quilos.

Fonte: Revista Isto É, 30/08/1995.

Você pode discordar do texto acima, dando sua opinião.
Descreva, fisicamente, os alemães, os italianos, os japoneses e os esquimós.

RESPONDA

Alguma vez, você...

a. já viu um cachorrão bem de perto?

______

b. já comeu um bolão inteiro?

______

c. já dirigiu um carrão?

______

d. já precisou tomar uma colherona de remédio com gosto ruim?

______

1. Ela está levando:
a. uma sacola
b. uma sacolinha
c. uma sacolona

2. A sacolona:
a. está pesada
b. está leve
c. deve estar pesada

ELE SE MACHUCOU

VERBOS REFLEXIVOS

FOCALIZAÇÃO Verbo *machucar* Modo indicativo	*machucar*
	pretérito perfeito
eu	me machuquei
ele - ela - você	se machucou
nós	nos machucamos
eles - elas - vocês	se machucaram

OUTROS VERBOS REFLEXIVOS:

cortar-se	*acordar-se*
sentar-se	*levantar-se*
virar-se	*mexer-se*
demitir-se	*vestir-se*
olhar-se	*abaixar-se*

Lauro telefona para Carlos e o convida para jogar futebol:

– *Você gostaria de jogar futebol sábado à tarde?*
– *Infelizmente, não vai dar. Você não soube do meu problema?*
– *Que problema?*
– *Eu estava podando minhas roseiras e bati meu pé, sem querer, num galho cheio de espinhos. Como eu estava descalço, porque fazia calor, imagine o que aconteceu.*
– *Você se machucou muito?*
– *Sim. Dois espinhos enormes entraram no meu calcanhar. Precisei ir ao médico. Bem que eu tentei tirá-los com uma pinça, mas não deu. Meu pé ainda dói um pouco e me incomoda. Não posso correr nem calçar chuteiras.*

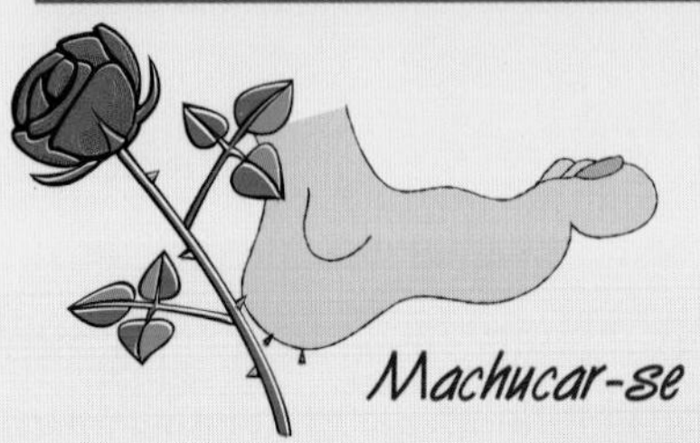
Machucar-se

FOCALIZAÇÃO Verbo vestir-se Irregular Modo indicativo	*vestir-se*
	presente
eu	me *visto*
ele - ela - você	se veste
nós	nos vestimos
eles - elas - vocês	se vestem
imperativo	vista-se

ATIVIDADE

Escreva como as pessoas se vestem para:

jogar futebol	correr de motocicleta	trabalhar no escritório	mergulhar
______	______	______	______
______	______	______	______
______	______	______	______

QUEM DEU BRONCA?

DIÁLOGO

– Ontem, meu filho deu um susto no meu vizinho.
– Com o quê?
– Com uma aranha de plástico.
– E ele se assustou?
– Claro! A aranha parecia que era de verdade. Até eu me assustei um pouco.
– E o que você fez?
– Eu dei uma bronca. Meu filho se arrependeu e pediu desculpas.

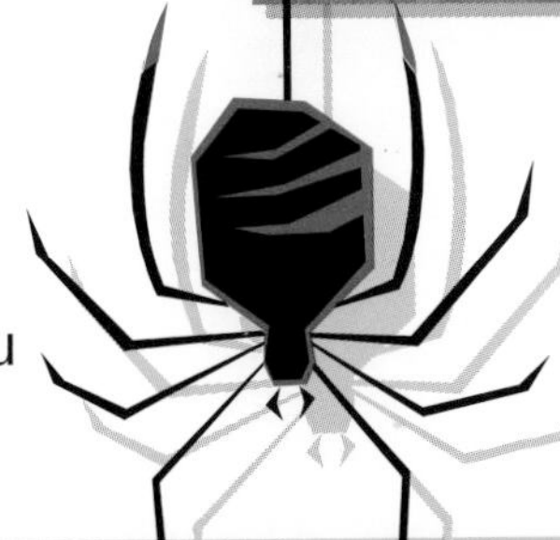

Observe

dar susto	*levar susto*
dar bronca	*levar bronca*
dar soco	*levar soco*
dar tapa	*levar tapa*
dar pontapé	*levar pontapé*
dar surra	*levar surra*
dar tiro	*levar tiro*
dar golpe	*levar golpe*

ATIVIDADE

Complete as frases:

a. Normalmente, as crianças se assustam quando ____________________

b. Alguns adultos se assustam quando ____________________

c. Algumas crianças levam bronca quando ____________________

d. Alguns pais dão bronca quando os filhos ____________________

Mike Tyson ***deu uma mordida*** na orelha de Evander Holyfield em uma luta pelo título dos pesos pesados em Las Vegas.

Quem levou a mordida?

____

UMA FRASE CHOCANTE

"O melhor soco que já dei foi na minha ex-mulher".
Mike Tyson

Fonte: Revista Veja, 17/07/97.

Luta de boxe

DANDO SUA OPINIÃO

1. É necessário ***dar queixa*** à polícia quando:
   ( ) uma mulher leva surra do marido
   ( ) um carro é arrombado
   ( ) algumas roupas do varal são roubadas
2. Faça comentários sobre a frase de Mike Tyson.

EU ME ARREPENDI

Verbos que designam sentimentos como sentir-se, queixar-se, arrepender-se, irritar-se são chamados verbos pronominais.

FOCALIZAÇÃO

Verbo irregular
Modo indicativo

	presente
eu	me *sinto*
ele - ela - você	se sente
nós	nos sentimos
eles - elas - vocês	se sentem

– Como o senhor se sente?
– Eu me sinto um pouco tonto.

Continue as frases:

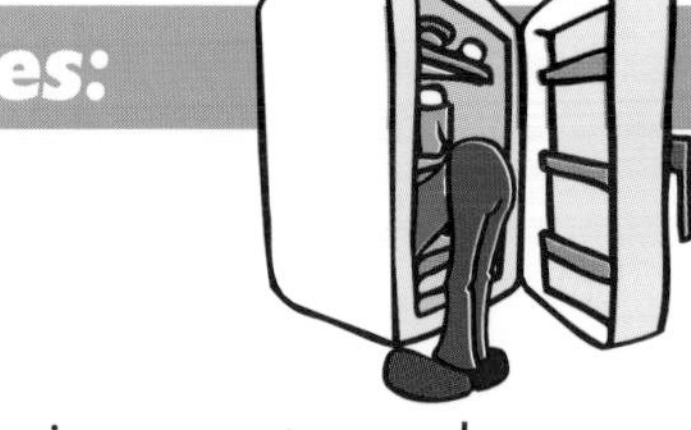

Na última viagem que ele fez, ele se arrependeu ________________________

Meu amigo sempre se aborrece quando abre a geladeira e ____________________________

Meu cunhado se irrita muito quando a copiadora __________________________

Meu vizinho sempre se queixa de _________
____

Você já se arrependeu de comprar alguma coisa numa viagem?

"Já. Em uma viagem aos Estados Unidos, região de Miami, comprei uma escova para enrolar o cabelo, dessas elétricas, bem mais caras no Brasil. No mesmo dia, quando cheguei ao Hotel fui usá-la pra enrolar o cabelo e ela não funcionou muito bem. Ao contrário, agarrou e não soltou mais o cabelo. Na mesma hora eu tive que cortar um pedaço do meu cabelo bem perto do couro cabeludo e usei um boné o resto da viagem. No dia seguinte, fui na loja e troquei por outro produto que desta vez funcionou muito bem."

Paula Letícia - Rio de Janeiro

ATIVIDADE

ESCREVENDO

1. O que você faria no lugar de Paula?

____

2. Descreva alguma coisa que você já comprou e se arrependeu.

____

SÓ DANÇO SAMBA

SÓ DANÇO SAMBA

Antônio Carlos Jobim
Vinícius de Moraes

Só danço samba, só danço samba,
Vai, vai, vai, vai
Só danço samba, só danço samba,
Vai.

Já dancei o twist até demais
Já dancei e me cansei do twist e do tchá, tchá, tchá.

Só danço samba, só danço samba,
Vai, vai, vai, vai
Só danço samba, só danço samba,
Vai.

Tony Ramos

ROBERTO VALVERDE / ABRIL IMAGENS

O ATOR PRECOCE

Desde menino Tony Ramos ***se viu*** envolvido com o teatro. Sua primeira experiência foi num programa de televisão no qual jovens atores dramatizavam histórias noticiadas pelos jornais. "Eu sonhava em ser ator por causa dos filmes de Oscarito, ia muito ao cinema e ***me espelhava*** neles".

Fonte: Veja, nº 1445.

ATIVIDADE

Ponto de vista
De que maneiras alguns atores, atrizes, cantores e cantoras, no início de suas carreiras tentam se espelhar em artistas já consagrados pelo público?

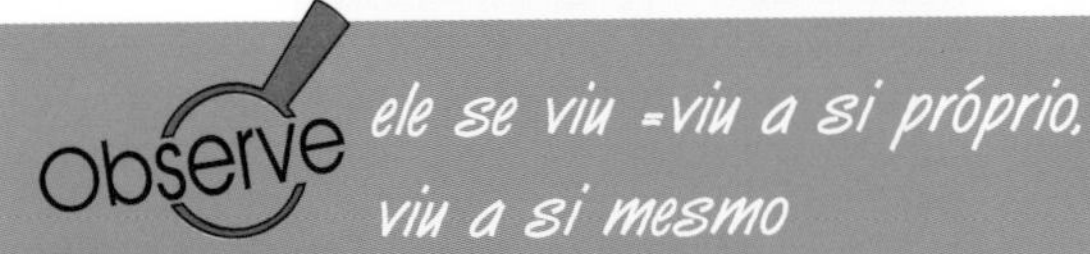

ele se viu =viu a si próprio.
viu a si mesmo

Nota: Na voz reflexiva o sujeito é ao mesmo Tempo agente e paciente.

O que ela está fazendo?

Ela está passando batom e ________________ (olhar-se) no espelho.

O que foi que aconteceu?

Ela ______________ (cansar-se) demais e tirou os sapatos porque eles são muito apertados.

Eles se mudaram?

Como fazer embalagens

Quando **nós nos mudamos,** devemos fazer a embalagem dos artigos frágeis com muito cuidado.
Use caixas de papelão e papel de seda.

– Quantas vezes você já se mudou?

– ________________________________

PRATICANDO

Complete o diálogo usando o **pretérito perfeito** ou **imperfeito**.

– Por que você ____________________ (demitir-se)?

– Eu não ________________ (agüentar) mais tanto trabalho. Sempre _______ (ser) necessário ***fazer serão.***

– Mas você ________________ (receber) ***hora extra***, não _____________ (receber)?

– Sim, a empresa ____________ (pagar) tudo de acordo com a lei. Além disso, eu ___ (ter) muitos benefícios. Mas minha esposa ____________ (viver) reclamando que eu não ____________ (dar) muita atenção para os nossos filhos. Não ___________ (valer) a pena.

– E onde você vai trabalhar agora?

– Estou pensando em abrir um negócio próprio.

ATIVIDADES

1. Escreva um cartão comunicando uma mudança de casa ou de apartamento.

2. Pergunte ao seu colega quantas vezes ele já se mudou e se alguma vez ele teve problemas com objetos frágeis.

3. Sobre negócio próprio:
   a. escreva o nome de um negócio próprio que você acha muito interessante
   b. faça um planejamento:
   - investimento inicial
   - faturamento
   - espaço necessário
   - capacidade de produção
   - divulgação
   - onde comprar matéria-prima

ELES SE AMAM

Algumas vezes, verbos reflexivos denotam reciprocidade. Neste casos, os pronomes, geralmente, são usados no plural.

amar-se
Eles se amam.

odiar-se
Eles se odeiam.

cumprimentar-se
Eles se cumprimentam.

gostar-se
Eles se gostam.

FOCALIZAÇÃO

Verbos irregulares com terminação em *-iar*
Modo indicativo

odiar

	presente
eu	odeio
ele - ela - você	odeia
nós	odiamos
eles - elas - vocês	odeiam

Conjugue os verbos oralmente

mediar
remediar
ansiar
incendiar

PRATICANDO

1. *(cumprimentar-se)* Ontem, na festa nós ______________________.
2. *(gostar-se)* Carlos e Ana não ______________________ muito.
3. *(odiar-se)* Antigamente, meus vizinhos ______________________.
4. *(odiar-se)* Nós não ______________________.
5. *(conhecer-se)* Nós ______________________ numa reunião da empresa, há dois meses.

Transforme usando o presente do indicativo:

Nós não nos odiamos. — **A gente não se odeia.**

1. Nós nos cumprimentamos na festa. ______________________
2. Nós não nos gostamos muito. ______________________
3. Nós nos conhecemos na discoteca. ______________________
4. Nós nos abraçamos na festa. ______________________
5. Nós não nos agredimos. ______________________

PRATICANDO

Complete os diálogos:

– Ontem você se machucou?
– Sim, eu ________________.

– A que horas você se acorda?
– Eu sempre ________ lá pelas sete horas.

– Quem se maquiou demais para ir ao cinema?
– Minha filha ________________ demais.

– Quem se abaixou para pegar a borracha?
– Ana ________________.

– Quem se sentou no ônibus?
– Somente as pessoas idosas ________________.

– Quem se sentiu mal na festa?
– Alice e Paulo ________________.

– Quem se irritou com a demora do ônibus?
– Alguns passageiros ________________.

– Quem se queixava de dor nas costas?
– Meu sogro ________________.

– Quem se cansava facilmente?
– Alguns turistas ________________.

– Quem se olhava no espelho?
– Todas as modelos ________________.

– Quem vai se mudar?
– Meus vizinhos ________________.

Complete as frases:

1. Ontem, na festa, nós ________________ (despedir-se) de todos, mas Carlos e Rita não se despediram de ninguém.
2. Antigamente, todos os jogadores do clube ________________ (gostar-se).
3. Amanhã, Luís e Sílvia ________________ (conhecer-se) na festa.
4. Ontem, nós ________________ (encontrar-se) no centro, por acaso.
5. Na próxima semana, eles ________________ (conhecer) no churrasco.
6. Antigamente, nós sempre ________________ (reunir-se) aos domingos.

DIÁLOGO

VIRE-SE!

– Ontem, meu amigo não quis me **ajudar a** trocar o pneu do carro. Deu uma desculpa e foi embora.
– Puxa! Que ***"muy" amigo!***
– Eu tive que **me virar**, no centro, numa rua de muito movimento e eu **me sujei** com graxa. Foi um sufoco.

Pergunte ao seu colega o que ele faz quando:
a. vê um amigo em dificuldade
b. vê um desconhecido em dificuldade
Continue:
Eu sempre ***ajudo*** meu amigo ***a*** ________________,
________________ e ________________.

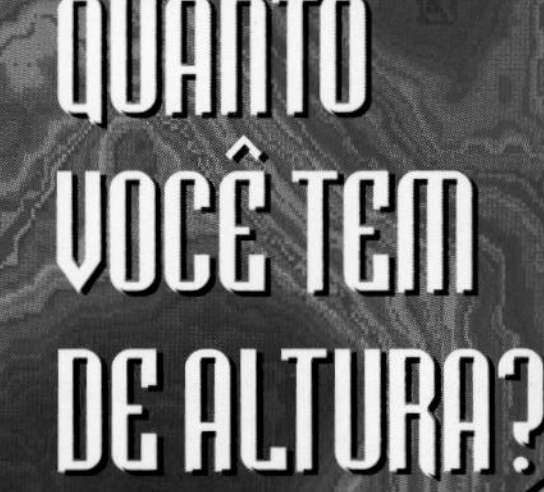

FOCALIZAÇÃO

Verbo *medir* - irregular — *medir*

eu	***meço***
ele - ela - você	**mede**
nós	**medimos**
eles - elas - vocês	**medem**

imperativo: meça

– Quanto você tem de altura?
– Eu tenho 1,45.

– Quanto você mede?
– Eu meço 1,45.

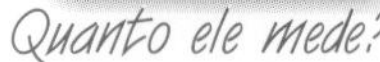

Para tirar medidas, os alfaiates e as costureiras usam fita métrica.

Para que serve a trena?

____

____

– Quanto mede o barzinho?
– ___________ três por um.

– Quanto mede o banheiro?
– __________ três por dois.

– Quanto mede a sala de jantar?
– ______________ cinco por sete.

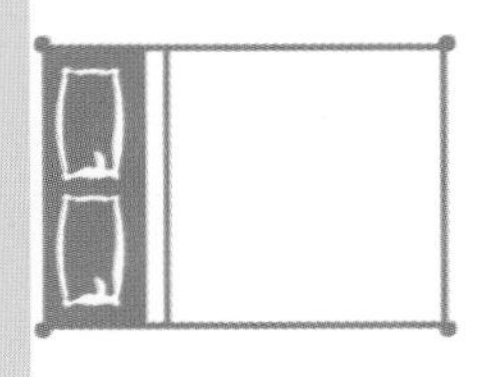

– Quanto mede o quarto?
– ________quatro por três.

Pergunte ao seu colega:

a) quanto ele tem de altura

b) quanto mede o terreno da casa dele

c) quanto mede a área construída

d) quanto mede a churrasqueira

e) quanto mede o tapete da sala

Continue...

a) Antigamente, eu morava num apartamento de 90 m^2. Hoje, felizmente, ________________________________.

b) Com 15 anos eu tinha somente 1,45. De uma hora para a outra, comecei a crescer e ________________________.

c) O janelão da sala de jantar mede ________ por ________. Acho que vou reformá-lo porque__________________.

O que você reformaria em sua casa? Dê as medidas atuais e escreva como gostaria de fazer as reformas necessárias.

VOCÊ É TÃO ALTO

FALANDO SOBRE ESPORTE

Marcos e Mário estão batendo papo no ponto de ônibus.

Marcos: *Você gosta de esporte?*
Mário: *Gosto **demais**.*
Marcos: *O que você mais curte?*
Mário: *Curto **muito** futebol. Não perco um jogo do meu time. E você?*
Marcos: *Eu curto basquete. Jogo duas vezes por semana.*
Mário: *Você pode jogar basquete, não é? Você é **muito** alto. Mas, eu! Sou **tão** baixinho. Tenho somente 1,66.*

gírias

bater papo: conversar
curtir: gostar, apreciar

FOCALIZAÇÃO

advérbios

bem	**nunca**	**lá**
mal	**tão**	**muito**
alto	**tanto**	**pouco**
baixo	**aqui**	**bastante**
sempre	**ali**	**demais**

Alguns advérbios terminados em ***-mente:***

	adjetivos
1. tranqüilamente	(tranqüilo)
2. dificilmente	(difícil)
3. facilmente	(fácil)
4. naturalmente	(natural)
5. felizmente	(feliz)
6. infelizmente	(infeliz)
7. sinceramente	(sincero)
8. honestamente	(honesto)
9. simplesmente	(simples)

PRATICANDO

Ele trabalha bem.
Eles trabalham bem.

1. Ela se veste bem.

____

2. Ele fala baixo.

____

3. Ela fala alto.

____

4. A criança come pouco.

____

5. Eu saio muito de casa.

____

ATIVIDADE

FALANDO DE VOCÊ

Num ponto de ônibus, você não bate papo com:
( ) desconhecidos ( ) conhecidos ( ) vizinhos antipáticos
( ) pessoas malvestidas ( ) idosos ( ) pessoas mal-encaradas.
Explique as razões.

POR ONDE VAMOS?

O RIO DE JANEIRO

O Cristo Redentor é um dos símbolos do Brasil e o Pão de Açucar é conhecido em todo mundo. O Sambódromo também é uma atração mundial. Quem chega ao Rio fica impressionado com a beleza de suas praias e suas montanhas.

ANA PAULA PAIVA / ABRIL IMAGENS

PÃO DE AÇÚCAR/ENSEADA DO BOTAFOGO

Como chegar ao Rio de ônibus ou de carro? O Rio liga-se à malha rodoviária do país pelas BR-116, BR-040 e BR-101.

ANTONIO A. FONTOS / ABRIL IMAGENS

ATERRO DO FLAMENGO

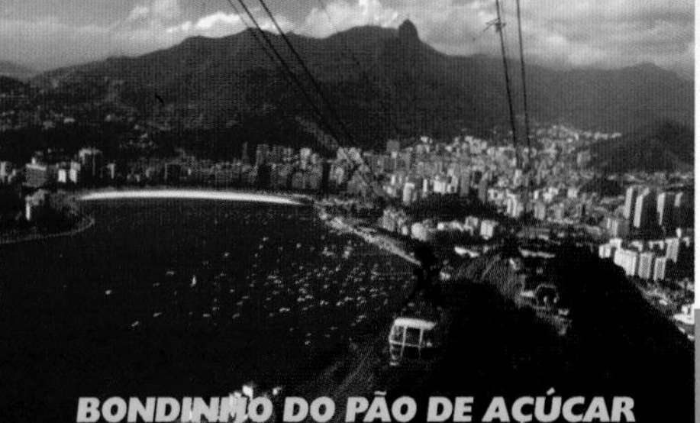
ANA PAULA PAIVA / ABRIL IMAGENS

BONDINHO DO PÃO DE AÇÚCAR

FOCALIZAÇÃO

preposição por	*preposição por + artigos*	
– *Por onde vamos?*	**– *Por onde vamos?***	
Por aqui.	*(a BR)* pela BR-116	*(as montanhas)* pelas montanhas
Por ali.	*(o centro)* pelo centro	*(o túnel)* pelo túnel
Por lá.	*(o viaduto)* pelo viaduto	*(o litoral)* pelo litoral
		(a margem do rio) pela margem

DIÁLOGO

– Veja que problema. Por causa da chuva muito forte, caiu uma barreira ali na frente. Eles já estão retirando a terra. Mas vamos ter que esperar um tempão aqui.
– Veja. Há uma placa ali.
– Um desvio? Então, vamos por ele.

No shopping você:

( ) desce pela escada rolante

( ) desce pela escada

ATIVIDADES (grupos de 4 pessoas)

Quem sabe onde fica a prefeitura, o maior parque da cidade, o pronto-socorro ou o corpo de bombeiros?

1. Façam um mapa e tentem explicar como chegar até lá.

2. Apresentem o mapa ao grupo.

REVISÃO

PRATICANDO

POR, PELO OU PELA?

1. Ele passou _______ mim.
2. Vou _______ BR-277.
3. Eles foram _______ margem do rio.
4. Passei _______ eles na rua.
5. Eles passaram _______ nós e nem nos cumprimentaram.
6. Eles ficaram _______ lá.
7. As crianças estão _______ aí.
8. Fomos _______ BR-101.
9. Eles foram _______ Avenida Tiradentes.
10. Na estrada, dois caminhões passaram _______ nós em alta velocidade.

– Papai, acho que nós nos perdemos. É a terceira vez que passamos por esta estrada.
– É verdade. Me dê o mapa para dar mais uma olhada.

VOCÊ JÁ SE PERDEU ALGUMA VEZ NUMA VIAGEM?

"Já. Numa viagem de trem de Nova York para Hartford, eu e dois amigos nos perdemos de outros dois quando fomos ao restaurante que ficava no último vagão. Enquanto fazíamos um lanche, não percebemos que o trem havia sido dividido e o nosso vagão, engatado a uma composição que ia para Boston! Foi preciso montar uma operação cheia de baldeações para chegarmos em Hartford. Um sufoco!"

Fábio - João Pessoa - PB

Fonte: Revista Viagem, agosto 99.

"Depois de muito procurar por um hotel na rua Nybrogatan, em Estocolmo, meu amigo perguntou se eu tinha certeza do endereço. Respondi que sim, pois lembrava que o nome da rua terminava em *gatan*. Só então percebi no mapa que todas as ruas terminavam em *gatan*, que significa rua em sueco."

Eduardo - São Paulo - SP

Quando alguém se perde numa viagem, o que deve fazer?

____

____

DIÁLOGO

– Carlos deve estar furioso.
– O que é que aconteceu?
– Ele tentou dar um susto em sua irmã com uma máscara, e não conseguiu. Imagine! Ela nem se assustou e até riu dele. Além disso, ele levou a maior bronca da mãe.
– Que feio.

Quem deu bronca? _______________________

ESTE PRESENTE FOI O QUE COMPREI

FOCALIZAÇÃO

Uso dos pronomes relativos que, quem, onde e cujo.

*– O palhaço **que** você viu no circo era bom?*
– Bom, não. Ele era ótimo, demais!

singular
O palhaço **sobre o qual** falávamos foi visto no circo.
plural
Os palhaços **sobre os quais** falávamos foram vistos no circo.

	masculino		feminino	
VARIÁVEIS	***o qual***	- os quais	***a qual***	- as quais
	cujo	- cujos	***cuja***	- cujas
INVARIÁVEIS	***quem - que - onde***			

– Adivinhe o que eu comprei de presente para Ana.
– Não faço a mínima idéia.
– Olhe. Este é o presente que eu comprei para ela.
– Um quebra-cabeça! Ela vai adorar.
– Agora eu mesma farei o pacote de presente.

Que - representa um substantivo:
Ele ganhou os presentes ***que*** queria.
Ele ganhou os presentes ***os quais*** queria.

Quem - está sempre precedido de preposição:
A amiga de ***quem*** falei é alemã.
A amiga ***da qual*** falei é alemã.

Onde - equivalente a ***em que:***
A escola ***onde*** estudei era pública.
A escola ***em que*** estudei era pública.

PRATICANDO

Este é o garoto de que falei.
Este é o garoto sobre o qual falei.

1. O álbum onde estavam as fotos sumiu.

____

2. O homem com quem estávamos fugiu.

____

3. O edifício onde morei tinha vista para o mar.

____

4. A vizinha com quem tive que falar é muito metida.

____

5. A caixa onde deixei as bebidas é de isopor.

____

6. O livro que discutíamos é bom.

____

7. O jogo que comentei terminou em briga.

____

8. A foto com que ilustrei a lição é linda.

____

ONDE EU COLOCO ESTAS FLORES?

Uso dos pronomes relativos

– *Onde eu coloco estas flores?*
– *Num vaso. Mas as flores,* ***cujas*** *pétalas estão murchas, devem ser jogadas fora.*

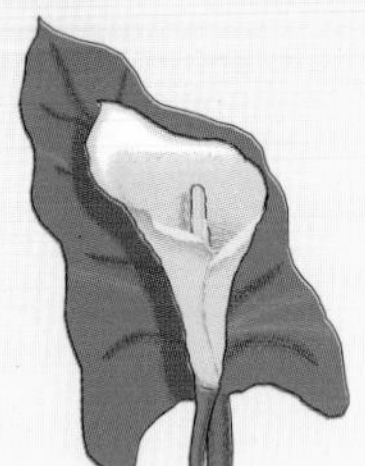
copo de leite

amor-perfeito

flores do campo

lírio

ATIVIDADE

DANDO DICAS
Escreva o que é necessário fazer para conservar as flores por mais tempo nos vasos. Apresente suas sugestões ao grupo.

brinco-de-princesa

Observe

cujo - cujos
cuja - cujas
indicam posse e precedem um substantivo sem artigo.

PRATICANDO

Complete com *cujo, cuja, cujos* ou *cujas*:

1. Os ovos de Páscoa, _________ papéis estão rasgados, devem ser retirados da cesta.
2. As frutas, _____________ cascas estão escuras, não são boas.
3. O livro, ______________ capa está cortada, é de Biologia.
4. A caneta, ____________ tinta acabou, é importada.
5. Os jornais, __________ folhas estão amassadas, são muito velhos.
6. O sofá, _______________ tecido é de veludo, foi reformado.
7. Os pais, _______________ filhos não estudam, ficam muito preocupados.
8. As empresas, ____________ funcionários precisam fazer serão, devem pagar hora extra.
9. O livro, ____________ marcador é de plástico, é de Ciências.

NÓS ESTÁVAMOS VIAJANDO

NINGUÉM ATENDEU

Lúcia: *Telefonei para você diversas vezes na semana passada, mas ninguém atendeu.*

Vera: *Nós estávamos viajando. Fomos para Minas Gerais e visitamos muitas cidades, inclusive Tiradentes.*

Lúcia: *E o que você sabe sobre Tiradentes?*

Vera: *Tiradentes foi um centro muito rico de mineração e comércio. Mas é famosa mesmo porque ali viveu José Joaquim da Silva Xavier, cujo apelido era Tiradentes.*

Lúcia: *E como vocês viajaram?*

Vera: *De avião.*

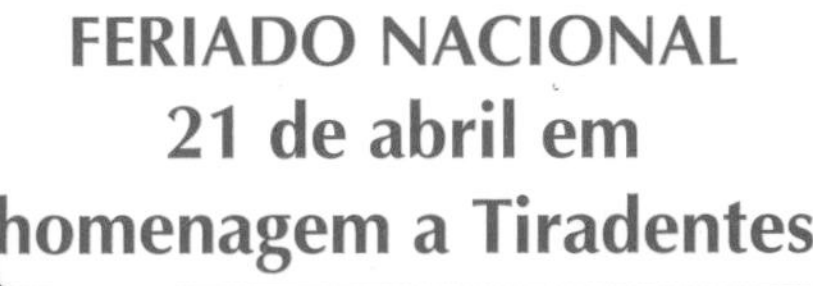

Em seus país quais são os feriados nacionais em homenagem a algum personagem da História?

____

____

FOCALIZAÇÃO

Passado contínuo	*estar*
eu	***estava*** **viajando**
ele - ela - você	***estava*** **viajando**
nós	***estávamos*** **viajando**
eles - elas - vocês	***estavam*** **viajando**

Normalmente, os apelidos estão relacionados a algumas características físicas, gostos ou manias.

Que apelidos você lhes daria? Observe as suas manias.

Geraldo está sempre procurando algo para consertar.

____

Sílvio está sempre tomando nota de tudo.

____

Juliano parece que sempre está tirando o pai da forca.

____

Como reclamar de: a) um apelido b) uma ressaca c) um mal-estar

CONTINUE AS SEGUINTES FRASES

A cozinheira estava tirando a carne assada do forno, quando ____________________

A fazendeira estava colhendo flores de seu jardim, quando ____________________

A moça estava podando os arbustos quando

____

A vovó estava fazendo tricô, confortavelmente em sua poltrona, quando

____

PRATICANDO

Ela/colher flores/começar a chover
Ela estava colhendo flores quando começou a chover.

1. Eu/podar as roseiras/ escorregar
2. Luís/ler o livro/ o telefone tocar
3. Nós/sair de casa/ Ana chegar
4. Eles/andar na rua/ o amigo chamar
5. Você/correr no parque/ a amiga acenar

PLURAL

1. **Ele fala muito alto.**
2. **Ela fala muito alto.**
3. **A moça é alta.**
4. **O moço é alto.**
5. **O carro é muito caro.**
6. **A casa é muito cara.**

PRATICANDO

– O que você estava fazendo ontem à noite?
– Eu estava me apresentando no Concurso de Calouros, na TV Bahia.

– Onde vocês estavam sábado passado?
– Nós estávamos nos apresentando no Festival de Música Sertaneja.

O que você estava fazendo?

1. (analisar o relatório)
____
2. (concluir o trabalho)
____
3. (chavear as portas)
____
4. (desfazer as malas)
____

PLURAL

1. Eu estava engraxando os sapatos.
____
2. Ela estava tirando o pó dos móveis.
____
3. Ele estava polindo o carro.
____
4. Você estava encerando o piso.
____
5. Eu estava colecionando moedas e chaveiros.
____

UM SONHO DE MENINA

Suzana Vieira

Complete com os verbos indicados:

O sonho de menina da atriz paulistana Suzana Vieira, _______ (ser) ser bailarina. Ainda mocinha, começou a _________________ (apresentar-se) no programa Concertos Matinais Mercedes-Benz, da TV Tupi. Depois, começou a fazer vários papéis no teatro e na televisão como atriz e não ___________ (parar) mais.

1. Complete:
   Antigamente eu sonhava em ser _________
2. Dá para contar o seu sonho aos colegas?
3. Qual é a diferença entre sonho e pesadelo?

ENVIANDO UM CARTÃO-POSTAL

Julia acompanha o marido, piloto da Fórmula Mundial, em quase todas as corridas. Veja uma entrevista com ela sobre a vida em família e as atividades do casal:

– ***Você sempre acompanhou o seu marido em todas as competições da Fórmula Mundial?***

– Eram quase 20 corridas por campeonato e eu assistia a todas. Levava nossos filhos, bebezinhos ainda, nas viagens. As mulheres dos outros pilotos também faziam isso. Era uma vida sacrificada.

– ***Por que começou a ir junto?***

– Ele pratica um esporte de risco. Hoje percebo que os riscos seriam os mesmos, comigo ali ou não. Minha presença não iria interferir. Mas antes não pensava assim.

– ***E quanto a seus próprios negócios?***

– Eu vendia roupas finas e sapatos decorados, dentre outras coisas, com motivos brasileiros nas corridas. Quando surgiam filas no box da equipe eu ficava morrendo de vergonha... Hoje em dia, só faço sapatos sob encomenda e tenho uma grife com o nome do meu marido.

ATIVIDADES

Escreva cinco perguntas que você faria a um piloto de Fórmula 1, a uma médica, a um designer de jóias, a um gari, a uma empregada doméstica e a um mergulhador.

Escreva um cartão-postal. Dicas: fale sobre o clima, a comida, os meios de transporte, alguns hábitos, a hospitalidade do povo.

BRASIL

ESCREVENDO UMA CARTA

Escreva à sua família contando sobre uma viagem e seu desejo de voltar ou não. Está dando para visitar todos os lugares que você quer? É possível conhecer muitas pessoas? Como as pessoas se vestem? Como é o sistema de transporte? Os restaurantes oferecem bom atendimento? As pessoas são prestativas? E a natureza?

Apêndice

ORIGEM

No vocabulário português, temos palavras oriundas:

1. do grego: anjo, bíblia, teatro, etc.
2. do hebraico: aleluia, Páscoa, etc.
3. do alemão: guerra, norte, sul, etc.
4. do árabe: algodão, azeite, alfaiate, etc.
5. do francês: elite, pose, avenida, etc.
6. do inglês: bife, xampu, futebol, etc.
7. do italiano: maestro, piano, lasanha, etc.
8. do espanhol: castanhola, cavalheiro, etc.
9. do russo: vodca, esputinique, etc.
10. do chinês: chá, nanquim, etc.
11. do japonês: judô, quimono, biombo, etc.
12. do turco: lacaio, algoz, etc.
13. do tupi: saci, tatu, araponga, etc.
14. de línguas africanas: vatapá, quilombo, etc.

SUBSTANTIVOS COLETIVOS

Exemplos:

álbum	de fotografias, de selos
arquipélago	de ilhas
atlas	de mapas
bagagem	de objetos de viagem
biblioteca	de livros
boiada	de bois
cacho	de uvas, de bananas
cardume	de peixes
código	de leis
década	período de dez anos
discoteca	de discos
enxoval	de roupas
fauna	os animais de uma região
flora	as plantas de uma região
molho	de chaves
nuvem	de gafanhotos, de mosquitos
penca	de frutas (bananas)
pinacoteca	de quadros, de telas
pomar	de árvores frutíferas
revoada	de pássaros voando
turma	de trabalhadores, de alunos

FLEXÃO DOS SUBSTANTIVOS

NÚMERO : Singular e Plural

Substantivos terminados em -r ou -z

colher	colheres
dólar	dólares
mulher	mulheres
cruz	cruzes
raiz	raízes

Substantivos terminados em -al, -el, -ol, -ul

arraial	arraiais
papel	papéis
anzol	anzóis
azul	azuis
Exceções:	
mal	males
cônsul	cônsules

Substantivos terminados em -il

a. os oxítonos mudam -il em -is:

funil	funis

b. os paroxítonos mudam -il em -eis:

fóssil	fósseis

Substantivos terminados em -m

homem	homens

Substantivos terminados em -s

a. os monossílados e oxítonos:

gás	gases
mês	meses
português	portugueses
inglês	ingleses

b. paroxítonos e proparoxítonos são invariáveis:

o pires	os pires
o ônibus	os ônibus

ADJETIVOS COMPARATIVOS

FORMAS REGULARES

Superioridade:
*A casa é **mais** cara **do que** o apartamento.*

Inferioridade:
*O apartamento é **menos** caro **do que** a casa.*

Igualdade:
*A casa é **tão** cara **quanto/como** o apartamento.*

FORMAS IRREGULARES

Singular

grande	maior
pequeno/a	menor
bom/boa	melhor
mau/má, ruim	pior

Plural

grandes	maiores

SUPERLATIVO ABSOLUTO

Estes sapatos são lindíssimos.

moderno	*Este chapéu é moderníssimo.*
barato	*Esta blusa é baratíssima.*
largo	*Estas mangas são larguíssimas.*
estreito	*Aquela rua é estreitíssima.*
inteligente	*Afonso é inteligentíssimo.*

pobre	paupérrimo
magro	magérrimo
bom/boa	ótimo
mau/má, ruim	péssimo
grande	máximo
pequeno	mínimo
fácil	facílimo
difícil	dificílimo
amável	amabilíssimo

SUPERLATIVO RELATIVO

Feminino Singular		**Feminino Plural**
a menos	*Lúcia é a menos organizada da turma.*	as menos
a mais	*Lúcia é a mais organizada da turma.*	as mais
a melhor	*Esta cadeira é a melhor de todas.*	as melhores
a pior	*Esta cadeira é a pior de todas.*	as piores
a maior	*São Paulo é a maior cidade do Brasil.*	as maiores
a menor	*Esta caneta é a menor de todas.*	as menores

Masculino Singular		**Masculino Plural**
o menos	*Carlos é o menos organizado de todos.*	os menos
o mais	*Carlos é o mais organizado de todos.*	os mais
o melhor	*Este vinho é o melhor de todos.*	os melhores
o pior	*Este vinho é o pior de todos.*	os piores
o maior	*Este armário é o maior de todos.*	os maiores
o menor	*Este armário é o menor de todos.*	os menores

PRONOMES PESSOAIS

eu
você / ele / ela
nós
vocês / eles / elas

PRONOMES DE TRATAMENTO

Singular	**Plural**
você	vocês
o senhor	os senhores
a senhora	as senhoras

OBJETO DIRETO

me	*Ele me convidou.*	**nos**	*Ele nos convidou.*
o	*Eu o comprei. (o carro)*	**os**	*Eu os comprei.*
a	*Eu a comprei. (a bicicleta)*	**as**	*Eu as comprei.*
lo	*Vamos comprá-lo. (o carro)*	**los**	*Vamos comprá-los.*
la	*Vamos comprá-la. (a bicicleta)*	**las**	*Vamos comprá-las.*
no	*Comprem-no. (o carro)*	**nos**	*Comprem-nos.*
na	*Comprem-na. (a bicicleta)*		

OBJETO INDIRETO

me, mim, comigo — *Ele me telefonou.* / *Ele telefonou para mim.* / *Ele jantou comigo.*

lhe (você/ele/ela) — *Eu telefonei para Carlos.* / *Eu lhe telefonei.*

nos, conosco — *Carlos nos escreveu o bilhete.* / *Ele jantou conosco.*

lhes (vocês/eles/elas) — *Eu telefonei para Carlos e Pedro.*

REFLEXIVOS

me	*Eu me cortei.*	**nos**	*Nós nos cortamos.*
se (você/ele/ela)	*Ele se cortou.*	**se** (vocês/eles/elas)	*Eles se cortaram.*

PRONOMES INTERROGATIVOS

1. *Discutir contra **quê**?*
2. ***Quem** chegou?*
3. ***Quantos** estão lá fora?*
4. ***Que** dia é hoje?*
5. *Por **que** ele não está aqui?*
6. ***Que** aconteceu?*
7. ***Quantas** vezes ele telefonou?*
8. ***Qual** é sua opinião?*
9. ***Quais** são suas dúvidas?*

PRONOMES DEMONSTRATIVOS

Masculino		Feminino	
este/s	*Este carro é bonito.*	**esta/s**	*Esta caneta é nova.*
esse/s	*Esse anel é lindo.*	**essa/s**	*Essa casa é antiga.*
aquele/s	*Aquele rádio é novo.*	**aquela/s**	*Aquela cadeira é confortável.*

Invariáveis

isto	*O que é isto?*
isso	*Isso aí é muito frágil. Pode quebrar.*
aquilo	*Aquilo não é seu. É meu.*

PRONOMES POSSESSIVOS

Masculino		Feminino	
meu	*Meu carro é azul.*	**minha**	*Minha mala é preta.*
meus	*Meus olhos são azuis.*	**minhas**	*Minhas malas são pretas.*
seu	*Seu carro é vermelho.*	**sua**	*Sua mãe está aqui.*
seus	*Seus olhos são verdes.*	**suas**	*Suas irmãs estão aqui.*

Observe

você/ele/ela

seu - dele	*Seu irmão está aqui.* *O carro dele está na garagem.*
seus - deles	*Seus pais estão aqui.* *Os sapatos deles estão na prateleira.*
sua - dela	*Sua mãe está aqui.* *O carro dela está na garagem.*
suas - delas	*Suas irmãs estão aqui.* *Os sapatos delas estão na prateleira.*

PRONOMES RELATIVOS

VARIÁVEIS

Masculino Singular

o qual *O livro* sobre o qual você falou *é muito interessante.*
cujo *O livro, cuja capa é de plástico, é de Luís.*

Masculino Plural

os quais *Os livros alguns dos quais lhe emprestei, são de meu pai.*
cujos *Os livros, cujas capas são azuis,* pertencem à *biblioteca.*

Feminino Singular

a qual *A partida, durante a qual Ronaldinho se machucou, foi assistida por todo mundo.*
cuja *A revista, cuja capa está rasgada, é minha.*

Feminino Plural

as quais *As bolas de gude das quais me desfiz, eram de Carlos.*
cujas *A blusa, cujas mangas estão rasgadas, são de Ana.*

INVARIÁVEIS

quem

A quem você deve dinheiro?

que

O livro que li é muito interessante.

onde

O hotel onde nos hospedamos fica no centro.

PRONOMES INDEFINIDOS

todo/s	*Comi todo o bolo.*
toda/s	*Comeu todas as bolachas.*
vários	*Tenho vários formulários.*
várias	*Tenho várias fichas.*
algum	*Você tem algum recado?*
alguns	*Alguns recados?*
alguma	*Alguma dúvida?*
algumas	*Algumas dúvidas?*
nenhum	*Nenhum recado.*
nenhuma	*Nenhuma dúvida.*
ninguém	*Ninguém ligou.*
qualquer	*Qualquer problema.*
quaisquer	*Quaisquer dúvidas.*
cada	*Cada dia.*
muito/s	*Muitos carros.*
muita/s	*Muitas bicicletas.*

INTERJEIÇÕES

Viva!

Ai! Ui! Xi! Que pena!

Ah! Oh!

Cuidado! Devagar!

Puxa! Nossa!

Isso!

Uf!

Socorro! Psiu! Pois sim!

Oba!

Tomara!

Ora! Que coisa!

PRINCIPAIS ADVÉRBIOS

1. **de afirmação:** sim

2. **de dúvida:** talvez

3. **de intensidade:**

muito	*Eles falam muito.*
pouco	*Elas falam pouco.*
mais	*Ele quer mais café.*
menos	*Ela quer menos açúcar.*
tão	*Ele é tão magro.*
meio	*Ela está meio cansada.*
demais	*Eles viajam demais.*
nada	*Isso não é nada fácil.*
tudo	*Isso é tudo.*
quase	*Ele quase perdeu o avião.*
apenas	*Estou apenas começando.*
como	*Como eles falam bem!*

4. **de lugar:**
abaixo, acima, cá, aqui, ali, aí, atrás, dentro, fora, perto, longe, onde, aonde, através, donde (de + onde)

5. **de modo:**

bem	*Eles falam bem.*
mal	*Elas se vestem mal.*
assim	*Faça o trabalho assim.*
depressa	*Venha depressa.*
devagar	*Dirija devagar.*

6. **de negação:** não

7. **de tempo:**
hoje, ontem, anteontem, amanhã, agora, já, sempre, nunca, jamais, logo, cedo, tarde, então, breve

8. **Advérbios terminados em *-mente*:**
simplesmente, felizmente, calorosamente, infelizmente, imediatamente, finalmente, claramente, diariamente, mensalmente, anualmente, realmente, certamente, dificilmente, facilmente, simplesmente

VERBOS

FUTURO DO PRESENTE

eu	irei	**-ei**
você/ele/ela	irá	**-á**
nós	iremos	**-emos**
vocês/eles/elas	irão	**- ão**

Irregulares

trazer	trarei
fazer	farei

FUTURO DO PRETÉRITO CONDICIONAL

eu	iria	**-ia**
você/ele/ela	iria	**-ia**
nós	iríamos	**-íamos**
vocês/eles/elas	iriam	**-iam**

Irregulares

trazer	traria
fazer	faria

IMPERFEITO DO INDICATIVO

Verbos em -ar:	**-ava**
Verbos em -er:	**-ia**
Verbos em -ir:	**-ia**

Irregulares

ser: era / era / éramos / eram

ter: tinha / tinha/ tínhamos / tinham

vir: vinha / vinha / vínhamos / vinham

pôr: punha / punha / púnhamos / punham

VOGAIS

VOGAIS ORAIS

a -	lata
é -	café
ê -	você
i -	rio
ó -	só
ô -	avô
u -	uva

VOGAIS NASAIS

ã -	irmã
e -	entender
i -	sim
õ -	ontem
u -	nunca

Som Nasal

Observe

avó - acento agudo (′)
avô - acento circunflexo (^)

1. Til (~) representa som nasal.
2. Quando a vogal é seguida de **m** ou **n** na mesma sílaba.
   Exemplos: campo tampa canto
3. Sempre antes de **nh**.
   Exemplos: rainha senhora manhã
4. Quando a próxima sílaba, após a vogal, começa com as consoantes **m** ou **n**.
   Exemplos: caneta humano

Praticando

bala	tenho	canto	caneta	vem
mala	compro	gelo	lê	tem
lição	senhor	lâmpada	vê	não
irmão	tampa	mesa	põem	sim

Leitura

A maçã está em cima da mesa.

A caneta é minha.

O limão está bom.

Eu não compro maçã.

Meu avô e minha avó moram em São Paulo.

Meu irmão mora na Alemanha.

Minha irmã mora no Japão.

DITONGO

Ditongo é a combinação de uma vogal mais uma semivogal, ou vice-versa, na mesma sílaba.

ãi:	cãibra, paina	Õe*:	lições, limões
au:	pau, Austrália	ea:	orquídea
ai:	pai, aipim	ie:	quieto
eu:	seu, vendeu	uo:	ingênuo
ei:	leite, sei	ui:	pingüim
éu:	chapéu, céu	eo:	róseo
éi:	hotéis, papéis	ia:	sábia
iu:	sentiu, riu	io:	curioso
ou:	coube, trouxe	oa:	mágoa
oi:	boi, coisa	ua:	água
ói:	herói, lençóis	uã:	quando
ui:	uivo, fui, muito	ue:	tênue
ão:	cachorrão, pão	ui:	tranqüilo
ãe*:	mãe, pães		

* **Por terem o valor fonético aproximado de /i/ e /u/, respectivamente, /e/ e /o/ átonos são, em certos casos, semivogais: mãe, ao, lições, limões.**

Leitura

cenoura

loira

loiro

Quando seu avô vai chegar?

Ele está tranqüilo.

As crianças são muito curiosas.

A água está quente.

HIATO

Hiato é o encontro de duas vogais pronunciadas em dois impulsos distintos, formando sílabas diferentes.

juízo
vôo
lêem
lagoa
compreende
rechear
sabia
país
viúva

TRITONGO

Tritongo é o conjunto de semivogal + vogal + semivogal, formando uma só sílaba.

iguais
enxágüem (verbo enxaguar)

DÍGRAFOS

Dígrafos é o encontro de duas letras que representam apenas um som.

ch:	chinelo
lh:	alho
nh:	banheiro
rr:	carro
ss:	passeio
gu:	*(antes de e ou i)*
	guerra
	seguinte
qu:	*(antes de e ou i)*
	aquele
	aquilo
sc:	*(antes de e ou i)*
	cresço
	cresça
xc:	*(antes de e ou i)*
	exceto

Praticando

casa	**qui**lo	**cu**bo	**ci**garro
quero	**co**la		**ce**noura

Leitura

casa	le**que**	**sa**la	ara**çá**	**ga**solina	**ja**nela	**ge**lo
cola	**que**rosene	**se**lo	caro**ço**	**gue**rra	**je**jum	**gi**rafa
cozinha	**ce**la	**si**rene	Igua**çu**	**gui**tarra	**ji**bóia	
confusão	**cir**co	**so**la		**go**la	**jo**vem	
Curitiba	**cos**tura	**su**bida		**gu**loso	**ju**dô	
copo	**cos**tureira					

EXPRESSÕES E GÍRIAS

UNIDADE 1 - bacana / tornar-se membro de / de repente
UNIDADE 2 - cair de / de ônibus / devido a / tirar para dançar / é muita gentileza sua / vir a / para falar a verdade
UNIDADE 3 - dar nó / sentir-se pronto para / depende de
UNIDADE 4 - papo furado / furar sinal / furar fila / em que circunstâncias / fazer cara feia
UNIDADE 6 - apertar o cinto / precisar de
UNIDADE 7 - dar duro / passar por uma peneira / nascer em (no/na/nos/nas) / / aprender por conta própria / depende de / gostar de / livro de cabeceira / aprender a fazer por conta própria
UNIDADE 8 - cabelo repartido / cabelo crespo /cabelo grisalho
UNIDADE 9 - **dar água na boca** / interferir em (no/na)
UNIDADE 10 - custar os olhos da cara / precisar de
UNIDADE 11 - estar livre / fazer questão de / dar carona
UNIDADE 12 - fazer papel de / retornar a / prestar serviço
UNIDADE 13 - virar à esquerda / virar à direita
UNIDADE 14 - que barato
UNIDADE 15 - fazer amizade / fazer fofoca / puxar conversa / dicas / passar o tempo / falar sobre
UNIDADE 16 - fazer questão de / marcar compromisso
UNIDADE 18 - curtir / fazer reserva / à mesa
UNIDADE 20 - mostrar a língua
UNIDADE 23 - fazer depósito / fazer saque
UNIDADE 26 - de nada / não tem de quê
UNIDADE 29 - estimar melhoras /dar desculpas / **que tal** / obrigado por / além de
UNIDADE 31 - dar para
UNIDADE 33 - dar para /emprestar de - para / de jeito nenhum / apesar de
UNIDADE 34 - estar em (no-na-nos-nas)
UNIDADE 35 - dar uma olhada / novo em folha / à vista / prestações a partir de
UNIDADE 36 - ir bem / malpassado / bem-passado / ao ponto / de pimenta
UNIDADE 37 - dar para
UNIDADE 39 - fora do comum
UNIDADE 40 - de nada / estar satisfeito / estar com pressa / não dar tempo
UNIDADE 41 - a rigor
UNIDADE 42 - a seu ver / em termos
UNIDADE 43 - de... em/ subir em / descer de
UNIDADE 45 - ter medo
UNIDADE 47 - aprender a / passar por
UNIDADE 50 - à noite / não dar / estar em cartaz / a gente
UNIDADE 51 - tomar banho / estar com sede / legal
UNIDADE 52 - acabar de / assistir a
UNIDADE 53 - dia-a- dia
UNIDADE 54 - de dia/ à noite / pois não
UNIDADE 55 - pegar onda / passar férias
UNIDADE 56 - nem... nem...
UNIDADE 58 - jogar fora / legal / dia puxado
UNIDADE 59 - assim mesmo / esquecer de / não adianta / mandar consertar
UNIDADE 60 - dar uma caminhada / jogar fora
UNIDADE 61 - obrigado por / dica / assistir a
UNIDADE 62 - fazer bem / pedir permissão / ficar à vontade / passar férias
UNIDADE 63 - lista de espera / fazer reservas / a passeio / a negócios
UNIDADE 64 - a seu ver / fazer ginástica
UNIDADE 66 - não deixar para a véspera / não deixar para a última hora
UNIDADE 67 - estar disposto a / a pé / a cavalo / de metrô / de avião / de barco / de trem / cair aos pedaços
UNIDADE 68 - cadê

UNIDADE 69- ficar a
UNIDADE 70 - à tarde / de manhã
UNIDADE 71 - não tem de quê / cobrar os olhos da cara
UNIDADE 72 - de repente / mal chegar (em casa) / começar a / **chover canivete**
UNIDADE 73 - ver-se obrigado a / dar certo
UNIDADE 74 - dar uma olhada
UNIDADE 76 - em que ocasiões / tirar Raio X / ficar de cama / tomar providências
UNIDADE 77 - à meia-noite / passar filme / das... às / do... Às
UNIDADE 78 - acabar de / morrer de
UNIDADE 79 - propor-se a / atuar em / correr riscos
UNIDADE 80 - estar com dor de cabeça /garganta/dente/ estar com gripe / estar com febre / estar com preguiça / estar mal / agorinha mesmo / estar com frio / estar com calor
UNIDADE 81 - fazer a barba / pedir demissão
UNIDADE 82 - ser que (foi que - Por que foi que...) / atender a
UNIDADE 83 - fazer viagem / fazer curso / fazer reserva / fazer compras / ser mais em conta
UNIDADE 84 - dar uma caminhada / deixar para amanhã
UNIDADE 85 - sem parar
UNIDADE 86 - dar uma olhada / por gentileza / de nada / foi um prazer
UNIDADE 87 - bela surpresa / dar uma olhada
UNIDADE 88 - ao meio-dia / morrer de
UNIDADE 89 - de repente / ouvi dizer / emprestar para
UNIDADE 90 - dar opção
UNIDADE 91 - letra de forma / por extenso
UNIDADE 92 - fazer mal/ bater em / parar de
UNIDADE 93 - dar sono / dar dor de cabeça / dar congestão / dar dor de estômago
UNIDADE 94 - estar pronto / jantar fora
UNIDADE 95 - a gente / fazer bom tempo / fazer mau tempo / fazer frio / fazer calor / fazer sol
UNIDADE 96 - fazer aniversário / acabar de
UNIDADE 97 - bacana / o mesmo de sempre / final do expediente / fazer vaquinha / dar uma passada
UNIDADE 98 - a fio / a gente / abacaxi / amigo do peito / bacana
UNIDADE 99 - em torno de / estar exposto a
UNIDADE 100 - curtir / assistir a
UNIDADE 101 - fazer seguro
UNIDADE 102 - ter febre / ficar de cama / marcar consulta / ter mania de / prejudicial a / a propósito
UNIDADE 103 - gastar a sola dos sapatos / tirar férias / de férias / fazer calor / fazer frio / optar por/ nem... Nem... / por e xemplo / chegar em / a pé / curtir
UNIDADE 104 - sardinha em lata / em ponto / bater o cartão / estar com pressa / Terceira Idade
UNIDADE 105 - estar com dor nas costas / consulta médica / diária de hospital
UNIDADE 106 - pela manhã / sem parar
UNIDADE 107 - perder a hora / perder a paciência / perder tempo
UNIDADE 108 - dar dicas / estar por dentro
UNIDADE 109 - por acaso / que gentileza / é um prazer
UNIDADE 110 - sufoco
UNIDADE 111 - ter oportunidade
UNIDADE 112 - dar para / estar com vontade de / começar a / esquecer de / morrer de vontade
UNIDADE 113 - sujeito à multa / sujeito a guincho / lá pelas seis / sufoco / ao sair
UNIDADE 114 - tiro ao alvo / pensar em / estar com vontade de / de nada
UNIDADE 115 - a gente / pensar em / de balão / dar para / ter medo
UNIDADE 116 - sem querer / de propósito / dar uma olhada / ficar à vontade
UNIDADE 118 - jogar fora / legal / ao vivo/ ponto de vista / assistir a
UNIDADE 119 - ligar a cobrar / chamada a cobrar / à noite / que tal / obrigado por / lá pelas oito / dar sinal de
UNIDADE 120 - **segunda mão / novo em folha**
UNIDADE 121 - fazer pesquisa

EXPRESSÕES E GÍRIAS

UNIDADE 122 - fazer exercícios / hoje em dia/ pensar em / de vez em quando / às vezes
UNIDADE 123 - ter mania de / começar a / antes de / aos domingos
UNIDADE 124 - assistir a / fazer gol / pagar o pato
UNIDADE 125 - dar zebra / dar empate
UNIDADE 126 - pagar o pato / submeter-se a / devido a
UNIDADE 127 - novo em folha
UNIDADE 128 - até que enfim / **fazer serão** / às vezes / única saída / à meia-noite
UNIDADE 129 - a meu ver / deu para perceber
UNIDADE 130 - acreditar em / confiar em
UNIDADE 131 - malhar / fazer cirurgia /fazer teste / perder peso / à saúde / ir direto a - para
UNIDADE 132 - de limão / de coco
UNIDADE 133 - passar a / dar nó em / associado a / precisar de / servir a / à noite / aprender a / frango a passarinho
UNIDADE 134 - obrigado por / não dar para / que tal / começar a / não deixar para a última hora
UNIDADE 135 - levar tempo / obrigado pela dica / além disso / de laranja / de cana/ de leite / de caipirinha
UNIDADE 136 - curtir a natureza / de manhã / estar anisoso por / ter oportunidade de / tirar férias
UNIDADE 137 - ficar hospedado em / ter medo / às vezes / de carro / fazer passeio / de trem / de lã /
UNIDADE 138 - abrir o apetite
UNIDADE 139 - puxou a mãe
UNIDADE 140 - dicas / parar em (no/na/nos/nas)
UNIDADE 141 - de cavalos
UNIDADE 142 - dar origem a / a rigor
UNIDADE 143 - não faz mal / fazer o jantar / fazer o figurino / aos sábados / aos domingos / que tal
UNIDADE 144 - capaz de / incapaz de / chegar a (medir) / em extinção /
UNIDADE 145- de barco / lava-rápido / queda de barreira / ter medo
UNIDADE 146 - precisar de / pagar por
UNIDADE 147 - mal (poder) falar / pegar gripe / parar de / é tiro e queda
UNIDADE 148 - não dar para / na última hora
UNIDADE 149- a fio
UNIDADE 150 - equivalente a / de balão / voar a / a mentira é uma bola de neve
UNIDADE 151 - estar com pressa / dar receita
UNIDADE 152 - com certeza / de avião / de jeito nenhum
UNIDADE 153- obrigado por / fazer turismo
UNIDADE 154 - subir em / de motocicleta
UNIDADE 155 - devido a
UNIDADE 156 - passar a ser / nem sempre / pelos trilhos / pelo ar
UNIDADE 157 - é prá já / dar para
UNIDADE 158 - de água
UNIDADE 159 - chegar ao topo
UNIDADE 160 - aos sábados / bacana
UNIDADE 161 - marcha ré
UNIDADE 163 - ser bom em (isso) / dar de ombros / meio fora de forma / voltar a / barbeiro / desviar de / de vidro pensar em (no/na/nos/nas) / em volta / hoje em dia
UNIDADE 165 - muito prazer / gostar de / a pé / de manhã / de carro / fazer calor
UNIDADE 166 - gostar tanto de / gostar de / de repente
UNIDADE 167 - ouvi dizer / achar que / estar na dúvida / estar em dúvida / de palhaço / de rainha / de pirata
UNIDADE 169 - tirar o pó / a vapor
UNIDADE 170 - direito a / cobrar por / obrigar a / por hora / pensar em / ajudar em
UNIDADE 171 - a dinheiro / correr risco / passar o aspirador / hoje em dia / começar a / por causa de / sonhar em / aprender a / fazer parte / jogar cartas / não faz mal
UNIDADE 172 - sob a direção / vir a (se dedicar) a / hoje em dia / valer a pena
UNIDADE 173 - baseado em / agradar a / apresentar a
UNIDADE 174 - dormir bem / dormir mal / levar alguém a / à noite
UNIDADE 175 - sonhar com / cuidar de

UNIDADE 176- ao meio- dia / ler sobre / assistir a / fazer obras / servir bem em / começar a / pensar em / acreditara em
UNIDADE 177 - ao acabar / pequeno porte / médio porte / grande porte / reclamar de
UNIDADE 178 - dar desculpas / estar com vontade de / gostar de/ lembrar de / esquecer de / acabar de / começar a / acreditar em / confiar em / ensinar a / aprender a
UNIDADE 179 - fazer as malas / deixar recado / precisar de / além disso / caçula / chegar em cima da hora
UNIDADE 180 - gostar de / à vista / a prazo / vamor por (pela/pelas/pelo/pelas) / dar para / letra de forma / valer a pena
UNIDADE 181 - **dar gargalhadas** / comer o pão que o diabo amassou / pintar de / depender de
UNIDADE 182 - dedicar-se a / além de / ficar bem
UNIDADE 183 - pensar em / valer a pena / de cabelo
UNIDADE 184 - levar alguém a
UNIDADE 185 - de lã / gostar de / sob medida / fazer (6) anos de casado / chegar em (no/na/nos/nas)
UNIDADE 186 - a propósito / ficar de cama / que pena / deixar de ir / mau humor / ligar (idéia de importar-se)
UNIDADE 187 - tirar para dançar / tomar sol / de repente / vermelho como pimentão / expor-se a / de leite/ queixar-se a
UNIDADE 188 - estar com fome / nem... nem... / estar na moda / estar com ciúme / de dia / à noite / estar em falta
UNIDADE 189 - não ... nem.../ catar lixo / nascer em (no - na)
UNIDADE 190 - de tênis / na verdade - além disso /pagar por / estar pela hora da morte / a respeito de / Terceira Idade
UNIDADE 191 - pedir informação / sair de / voltar de / chegar a (no/na)
UNIDADE 192 - lá pelas dez
UNIDADE 193 - ter direito / dar banho / pegar em (no-na)
UNIDADE 194- ser parecido (a-s) com / estar com fome
UNIDADE 195 - morar em (no-na-nos-nas) / viver cansada / ficar a
UNIDADE 196 - valer a pena / cabeça inchada / sinto muito / gostar de / reclamar de / vive dando palpites
UNIDADE 197 - tirar fotografia / acreditar em / pedir a (alguém)
UNIDADE 198 - graça / dar carona a / é prá já / sol a sol / virar bicho / levar tudo na flauta / começar a / ficar a (ao lado)
UNIDADE 199 - ultrapassar em / aumentar em / pelo menos
UNIDADE 200 - gostar de / à tarde / entrar em (no-na)/ bem que / não dar / sem querer / bater em (num galho) / fazer calor / precisar ir / não .... nem / de motocicleta
UNIDADE 201 - dar susto / de plástico / de verdade / pedir desculpas / dar e levar: susto, bronca, soco, tapa, pontapé, surra, tiro, golpe, mordida / dar queixa
UNIDADE 202 - ter que / precisar usar / no lugar de
UNIDADE 203 - Ver-se envolvido com / sonhar com / por causa de / espelhar-se em / ponto de vista passar batom
UNIDADE 204 - fazer embalagem / de papelão / de seda / fazer serão / hora extra / além disso / dar atenção para-a / valer a pena / pensar em
UNIDADE 205 - a gente / conhecer-se em (numa reunião) / abraçar-se em (na festa) / cumprimentar-se em
UNIDADE 206 - encontrar-se em / reunir-se a / ajudar a / dar desculpa / ir embora / sujar-se com / "muy" amigo
UNIDADE 207 - dar medidas / tirar medidas / começar a / de uma hora para outra
UNIDADE 208 - bater papo / curtir
UNIDADE 209 - chegar a / de carro / ligar-se à / por causa de / ter que / descer por
UNIDADE 210 - engatar a / chegar em / além disso / ter certeza / estar furioso / dar um susto / rir de / levar bronca
UNIDADE 212 - jogar fora / retirar de / de Biologia / fazer serão / hora extra / de plástico / de Ciências
UNIDADE 213 - de avião / em homenagem a / relacionado a tomar nota / tirar o pai da forca / reclamar de
UNIDADE 214 - tirar de / fazer tricô / sair de
UNIDADE 215 - à noite / desfazer as malas / tirar o pó / começar a / sonhar em / dar para
UNIDADE 216 - assistir a / de risco / às vezes / **morrer de vergonha** / hoje em dia / fazer jóias / sob encomenda

EXPRESSÕES E GÍRIAS

Água na boca

Chover canivete

Segunda mão

Que tal?

Dar gargalhadas

Morrer de vergonha

Fazer serão

NUMERAIS

CARDINAIS		ORDINAIS
0	zero	
1	um	primeiro
2	dois	segundo
3	três	terceiro
4	quatro	quarto
5	cinco	quinto
6	seis	sexto
7	sete	sétimo
8	oito	oitavo
9	nove	nono
10	dez	décimo
11	onze	décimo primeiro
12	doze	décimo segundo
13	treze	décimo terceiro
14	quatorze	décimo quarto
15	quinze	décimo quinto
16	dezesseis	décimo sexto
17	dezessete	décimo sétimo
18	dezoito	décimo oitavo
19	dezenove	décimo nono
20	vinte	vigésimo
30	trinta	trigésimo
40	quarenta	quadragésimo
50	cinqüenta	quinqüagésimo
60	sessenta	sexagésimo
70	setenta	septuagésimo
80	oitenta	octogésimo
90	noventa	nonagésimo
100	cem	centésimo
200	duzentos	ducentésimo
300	trezentos	tricentésimo
400	quatrocentos	quadringentésimo
500	quinhentos	qüingentésimo
600	seiscentos	sexcentésimo
700	setecentos	septingentésimo
800	oitocentos	octingentésimo
900	novecentos	nongentésimo
1.000	mil	milésimo
2.000	dois mil	dois milésimos
1.000.000	um milhão	milionésimo
2.000.000	dois milhões	dois milionésimos

Observe

	Masculino	Feminino
1	um	uma
2	dois	duas

Exemplos:

Carlos tem **um** carro. Cláudio tem **dois** filhos.
Luís tem **uma** bicicleta. Alfredo tem **duas** filhas.

Leia e Escreva

21 carros ____________________

22 bicicletas ____________________

31 meninas ____________________

32 meninos ____________________

61 casas ____________________

62 edifícios ____________________

200 casas ____________________

350 carros ____________________

500 pessoas ____________________

100	cem	110	cento e dez	170	cento e setenta
101	cento e um	120	cento e vinte	180	cento e oitenta
102	cento e dois	130	cento e trinta	190	cento e noventa
103	cento e três	140	cento e quarenta		
104	cento e quatro	150	cento e cinqüenta		
105	cento e cinco	160	cento e sessenta		

RECIBO

R$ ________

Número ______

Recebi(emos) de ____________________

a quantia de ____________________

proveniente ____________________

________________, ___ *de* ____________ *de* _____

Escreva

3	______	470	______
5	______	530	______
7	______	566	______
9	______	647	______
10	______	680	______
15	______	733	______
18	______	777	______
23	______	802	______
38	______	844	______
45	______	903	______
57	______	909	______
64	______	1.000	______
77	______	1.004	______
81	______	1.009	______
99	______	1.010	______
100	______	1.015	______
104	______	1.020	______
108	______	2.000	______
110	______	2.010	______
115	______	3.050	______
125	______	3.080	______
132	______	4.003	______
145	______	5.000	______
156	______	6.700	______
163	______	7.300	______
175	______	8.440	______
180	______	9.050	______
190	______	9.080	______
193	______	9.090	______
198	______	1.200.000	______
200	______	3.000.000	______
250	______	3.400.000	______
288	______	4.550.000	______
325	______	6.000.000	______
333	______	7.800.000	______
430	______	8.000.000	______

Medidas usadas no Brasil

1 km	um quilômetro	1 cm	um centímetro	1 t	uma tonelada
1 m	um metro	1 mm	um milímetro	1 kg	um quilograma
		1 l	um litro	1 g	um grama

Exemplos:

Quero um metro e meio de elástico.

Quero um litro de leite.

Quero seiscentos gramas de queijo.

VERBOS

TEMPOS COMPOSTOS DO INDICATIVO

Perfeito Composto
(presente do verbo ter + particípio)

eu	tenho viajado
você/ele/ela	tem viajado
nós	temos viajado
vocês/eles/elas	têm viajado

Mais-Que-Perfeito Composto
(imperfeito do verbo ter + particípio)

eu	tinha viajado
você/ele/ela	tinha viajado
nós	tínhamos viajado
vocês/eles/elas	tinham viajado

Futuro do Presente Composto
(futuro do verbo ter + particípio)

eu	terei viajado
você/ele/ela	terá viajado
nós	teremos viajado
vocês/eles/elas	terão viajado

Futuro do Pretérito Composto
(condicional do verbo ter + particípio)

eu	teria viajado
você/ele/ela	teria viajado
nós	teríamos viajado
vocês/eles/elas	teriam viajado

PARTICÍPIO

Particípios regulares em **-ar**: -ado

Particípios regulares em **-er**: -ido

Particípios regulares em **-ir**: -ido

Regra para o uso correto dos particípios:

Regulares: com os verbos ter/haver

Irregulares: com o verbo ser (voz passiva)

Entretanto, há casos de particípios irregulares que são usados tanto na voz ativa como na voz passiva. Exemplos:

tinha ganho *ou* tinha ganhado
tinha pego *ou* tinha pegado
tinha pago *ou* tinha pagado

Ganho e pago, por serem mais breves, têm preferência na linguagem atual. As formas regulares destes verbos estão ficando fora de uso.

Particípios de alguns verbos abundantes:

absolver	absolvido	absolto
aceitar	aceitado	aceito
acender	acendido	aceso
entregar	entregado	entregue
eleger	elegido	eleito
expulsar	expulsado	expulso
ganhar	ganhado	ganho
gastar	gastado	gasto
imprimir	imprimido	impresso
limpar	limpado	limpo
matar	matado	morto
morrer	morrido	morto
pagar	pagado	pago
pegar	pegado	pego
prender	prendido	preso
soltar	soltado	solto

Mais-Que-Perfeito Simples do Indicativo
Viajar

eu	viajara
você/ele/ela	viajara
nós	viajáramos
vocês/eles/elas	viajaram

VERBOS

PRESENTE, IMPERFEITO E FUTURO DO SUBJUNTIVO

Principais verbos de sentimento:

querer
desejar
Proibir
esperar
pedir
mandar
exigir
preferir
lamentar
acreditar
admitir
permitir
deixar
sugerir
duvidar

Outras situações:

Tomara
Talvez
Ter medo
Estar feliz
Sentir muito
Fazer com que

Que
1. suposição
2. fato provável
3. finalidade

Expressões impessoais:

É importante
Foi/era/seria

É necessário
Foi/era/seria

É melhor/pior/normal
Foi/era/seria

É comum/aconselhável
Foi/era/seria

Usando o Presente do Subjuntivo

Exemplos:

Para que eu deixe de fumar terei que pedir ajuda ao médico.

Mesmo que você/ele/ela/ espere por mim, não irei ao jogo.

A não ser que nós proibamos, a população frequentará a praia poluída.

Caso vocês/eles/elas queiram, trago cerveja para todos.

Com as seguintes conjunções e pronomes:

para que
a fim de que
até que
mesmo que
por mais que
quem/alguém que
contanto que/desde que
antes que
caso
embora/ainda que/se bem que
de modo que/de maneira que/de forma que
a não ser que

IMPERFEITO DO SUBJUNTIVO (hipótese)

Formação: Imperfeito do Subjuntivo + Futuro do Pretérito (condicional)

Exemplo:

Se eu pudesse, viajaria para a Austrália.
Se você/ele/ela pudesse, viajaria para a Alemanha.
Se nós pudéssemos, viajaríamos para a França.
Se vocês/eles/elas pudessem, viajariam para o México.

FUTURO DO SUBJUNTIVO

quando
se (possibilidade)
enquanto
logo que
assim que
depois que
como/conforme
sempre que
à proporção que
à medida que
quem (aquele/s que - aquela/s que)
todos os que - todas as que
tudo quanto
tudo o que
onde
quanto

Usando Futuro do Subjuntivo

Exemplos:

Quando eu cantar, você verá meu talento.
Logo que ele/ela/você mandar eu faço o serviço.
Assim que nós pedirmos ele nos atenderá.
Depois que eles/elas/vocês permitirem nós levaremos as crianças ao passeio.

VERBOS

TEMPOS COMPOSTOS DO SUBJUNTIVO

1. Perfeito (formação: verbo ter no presente do subjuntivo + particípio)

*Espero que a reunião **tenha acabado**.*

2. Mais-Que-Perfeito (formação: verbo ter no imperfeito do subjuntivo + particípio)

*Duvidei que ele **tivesse viajado** às pressas.*

3. Futuro (formação: verbo ter no futuro do subjuntivo + particípio)

*Lúcia telefonará quando **tiver chegado** em Londres.*

PREPOSIÇÕES

a	*Ele foi a pé.*
após	*Telefonou após o almoço.*
até	*Ficou até às três horas.*
com	*Ficou com medo.*
contra	*Falou contra o sistema atual de vendas.*
de	*Fiquei com dor de cabeça.*
desde	*Estou aqui desde às três horas.*
em	*Ele está em São Paulo.*
entre	*Entre nós não há segredos.*
para	*Ele olhou para mim.*
perante	*Falou perante todos.*
por	*O ônibus passa por aqui.*
sem	*Eles estão sem dinheiro.*
sob	*Ela trabalha sob pressão.*
sobre	*O livro está sobre a mesa.*

Combinações e contrações:

a + a =	à
a + as =	às
a + o =	ao
a + os =	aos
a + aquele/s =	àqueles
a + aquela/s =	àquelas
a + aquilo =	àquilo
de + o =	do
de + ele =	dele
de + este =	deste
de + isto =	disto
de + aqui =	daqui
em + esse =	nesse
em + um =	num
em + aquele =	naquele
em + o =	no

RESUMO DAS UNIDADES

UNIDADE	TEXTO	GRAMÁTICA	ESCREVENDO/FALANDO
1	O português no mundo Diálogo: No ponto de ônibus.	Exercícios: verbos regulares em -ar.	Escrevendo: Discussão sobre idiomas.
2	Diálogo: Pedro tira Ana para dançar.	Aplicação de verbos no presente do indicativo em todas as atividades.	Falando sobre música.
3	Gravatas.	Aplicação do verbo ser Adjetivos pátrios.	Falando: como dar nó em gravata descrição.
4	Pequenos diálogos sobre trânsito.	Uso do presente do indicativo com ênfase na 3ª pessoa do singular.	Escrevendo e falando sobre assuntos de trânsito (furar fila/furar sinal/ multas/ limites de velocidade).
5	Palavras.	Treino de pronúncia: al, el, il, ol, ul, gua, guo, guão, ge, gi.	Falando: leitura de diferentes palavras.
6	Contas e mais contas...	Verbo precisar: com e sem a preposição de.	Escrevendo sobre contas e como apertar o cinto. Falando o que é necessário fazer para apertar o cinto.
7	Entrevista: Ele dá duro.	Aplicação de verbos no presente/ pretérito perfeito do indicativo.	Escrevendo sobre situações apresentadas na entrevista.
8	Frases descrevendo características físicas.	Uso de adjetivos.	Escrevendo: Como você é?
9	Alimentos.	Aplicação de verbos no presente do indicativo. (verbo irregular: conter)	Escrevendo e falando sobre o modo de agir das pessoas (gulosa/generos/bem.humorada /sociável/tímida/chata/amável).
10	Sobra ou falta?	Exercícios com o verbo precisar.	Escrevendo: O que você precisa fazer. Escrevendo e falando: organização de jantar. Apresentação.
11	Diálogo: Está livre?	Advérbios: longe / perto / depois.	Falando sobre corridas de táxi.
12	Profissões/Lugares de trabalho.	Plural dos substantivos que terminam em -el.	Falando sobre atores e seus papéis.
13	Sinais.	Apresentação de sinais de pontuação e outros.	Falando: Como ler contas de adição, subtração, multiplicação e divisão.
14	Diálogo: O que você faz?	O alfabeto. Quando usar K/W/Y.	Falando sobre apresentação pessoal.
15	Diálogo: Na fila.	Uso do advérbio tão seguido de adjetivos. Pronomes de tratamento.	Falando sobre: aposentadoria; onde as pessoas puxam conversa.
16		Imperativo singular (você) de verbos regulares em-ar. Exercícios com advérbios: longe/perto daqui.	Escrevendo: fazer ou não fazer questão.
17	Emprego das iniciais maiúsculas.	Emprego das iniciais maiúsculas e minúsculas.	Escrevendo: Exercícios usando iniciais maiúsculas e minúsculas.
18	Falando de Turismo.	Aplicação de verbos usando o presente do indicativo.	Falando: Dramatização - fazendo reserva / discussão sobre casacos de pele.

RESUMO DAS UNIDADES

UNIDADE	TEXTO	GRAMÁTICA	ESCREVENDO/FALANDO
19	Ficha.	Conjugação de verbos regulares em -ar, no presente e pretérito perfeito do indicativo.	Escrevendo: Dados dos alunos (endereços residencial e profissional/ddd da cidade/ profissão).
20	Curiosidades.	Uso de preposições: com ou sem.	Escrevendo e falando sobre cuidados com os cães.
21	Nomes dos objetos.	Uso de artigos e substantivos.	Escrevendo: onde são colocados certos objetos numa casa.
22	Diálogo: Na lanchonete.	Uso da conjunção pois seguida de não e sim. Pois não? Pois não. Pois sim!	Escrevendo e falando: escrever diálogos e apresentar ao grupo.
23	Descrição. O que é possível fazer num banco (sacar/ depositar dinheiro).	Uso de adjetivo seguido de preposição + substantivo: resistente a mudanças.	Escrevendo e falando: Operações que podem ser feitas através do Caixa Automático.
24	Diálogo: Quem é ele?	Aplicação de verbos no presente do indicativo.	Escrevendo e falando sobre o Dia das Bruxas e outras festas populares.
25	A origem do leque.	Pronúncia: palavras com -r - Escrever opostos de adjetivos.	Falando sobre invenções.
26		Conjugação dos verbos ser e estar no presente do indicativo.	Falando: como agradecer.
27	No parque.	Verbo gostar seguido da preposição de.	Falando sobre relacionamentos. Parques: atividades, eventos culturais e artísticos.
28	O seu guarda-roupa não é prático se... Boas razões para não comprar uma roupa.	Aplicação de verbos no presente e pretérito perfeito do indicativo.	Falando de roupas.
29	Diálogo: Convidando um amigo.	Aplicação de verbos regulares e irregulares no presente do indicativo. (Ter/poder/precisar).	Escrevendo e falando: dando desculpas.
30	Separando os objetos.	Aplicação dos verbos poder/precisar de no presente do indicativo.	Falando sobre penalidades num jogo de futebol. Cartão amarelo/cartão vermelho.
31	Diálogo: No banco.	Verbo dar na terceira pessoa com o significado de "é possível".	Falando e escrevendo: criar perguntas usando a expressão: dar para...
32	Palavras.	Pronúncia de palavras com: gue, gui, je, ji e h inicial.	Falando: leitura de diferentes palavras.
33	Diálogo.	Verbo emprestar seguido das preposições de e para.	Escrevendo: completar diálogo falando de música. Exercícios com: emprestar de/para.
34	A muralha da China. Diálogo.	Exercícios com o verbo estar no pretérito perfeito do indicativo.	Escrevendo e falando sobre viagens, atrações turísticas, comida e povo.
35	Numa concessionária.	Pronomes pessoais: lhe e te.	Escrevendo e falando sobre carros novos e de segunda mão.
36	Diálogo: Numa churrascaria.	Locuções adjetivas:de pimenta/ de tomate/de cebola/de alface/ de berinjela/de batata.	Escrevendo e falando sobre comida e despesas do mês.

UNIDADE	TEXTO	GRAMÁTICA	ESCREVENDO/FALANDO
37		Conjugação do verbo estar (pretérito perfeito) e querer (presente) do indicativo. Exercícios com pronomes lhe/te.	Escrevendo e falando: Fazer perguntas e dar respostas, usando o verbo estar no pretérito perfeito do indicativo.
38	Diálogo: Campeão de tênis.	Informação: Copa do Mundo.	Pronúncia: palavras em - ão / - ões / -ã.
39	Cavernas.	Advérbios e expressões de tempo referindo-se ao passado. Prep. De + pronomes (idéia posse - dele).	Escrevendo e falando sobre lugares interessantes de seu país.
40	Diálogo: No restaurante.	Pronomes demonstrativos: esta, este, aquele, aquela.	Falando: quem deve pagar a conta no restaurante.
41	Divertimentos.	Completar exercícios usando o pretérito perfeito do indicativo.	Escrevendo um convite para uma festa.
42	Verdade/mentira Em termos.	Aplicação de verbos no presente do indicativo. Uso de adjetivos.	Escrevendo e falando sobre problemas do coração e atitudes.
43	Diálogo: No ponto de ônibus.	Preposição por + artigos definidos. Verbos seguidos de preposição: subir em/descer de.	Falando sobre os sistemas de transporte.
44	Esportes.	Verbo saber (perguntas e respostas).	Escrevendo e falando: ensinar o grupo a fazer alguma coisa.
45	Diálogo: No zoológico.	Aplicação do verbo saber no pretérito imperfeito do indicativo.	Falando de animais.
46	Palavras.	Pronúncia de palavras com nh/lh/r/rr/ça/ço/çu/ção.	Falando: leitura de diferentes palavras.
47		Pronomes demonstrativos Conjugação do verbo saber no presente do indicativo.	Escrevendo: completar diálogos e exercícios.
48		Aplicação do verbo poder no condicional (poderia) e no presente do ind. (Pode).	Escrevendo e falando como é possível comprar vários produtos.
49	Diálogos.	Advérbios de lugar: dentro/ fora / atrás, etc...	Falando: formar pares e, com os objetos da sala de aula, fazer perguntas usando os advérbios de lugar.
50	Diálogo: Esperando na fila do cinema.	Deve ser fácil. Devem ser fáceis. Deve ser difícil. Devem ser difíceis.	Falano sobre o preço das entradas de cinema e de filmes que estão em cartaz.
51		Que (advérbio quão) seguido de substantivos e adjetivos.	Falando: o que falaria sobre objetos fora do lugar, de acordo com as figuras.
52		Adjetivos: recém-nascido/a/s recém-chegado/a/s recém-casado/a/s	Falando e escrevendo sobre apresentações, de acordo com as ilustrações.
53	Minha cunhada está grávida.	Conjugação de verbos regulares em -arno presente e pretérito perfeito do indicativo.	Escrevendo e falando: o dia-a-dia de uma criança.
54	Diálogo: Comprando a passagem.	Conjugação do verbo ir (irregular) no presente do indicativo.	Falando e ecrevendo: como prefere viajar.

RESUMO DAS UNIDADES

UNIDADE	TEXTO	GRAMÁTICA	ESCREVENDO/FALANDO
55	Pegar onda.	Exercícios: conjugar verbos regulares no pretérito perfeito do indicativo.	Falando e escrevendo sobre horas impróprias para tomar sol/o que fazer para evitar queimaduras.
56	Café ou suco?	Exercícios:pronomes possessivos / completar diálogo.	Falando sobre lanches.
57	Palavras.	Ortografia m antes de -p e -b separação de sílabas.	Escrevendo: "m" antes de "p" e "b; separando sílabas.
58	Você toca violão?	Completar diálogo, usando verbos e preposições.	Escrevendo e falando sobre as atividades das crianças.
59	Pequenos diálogos.	Completar diálogos dando ênfase aos verbos mandar e adiantar.	Escrevendo os significados do verbo adiantar. Completar os exercícios.
60	Convite.	Completar exercícios usando o pretérito perfeito do indicativo.	Falando sobre: o que jogar fora / superstições/fazendo convites.
61	Diálogo: Num barzinho.	Completar exercícios com num ou numa/ dele/dela/deles/delas.	Falando sobre atividades para um dia chuvoso e para um dia ensolarado.
62	Ficha.	Conjugação do verbo ter (irregular) no presente e pretérito perfeito do indicativo.	Falando sobre atitudes mal-educadas.
63	Diálogo: Comprando bilhete no aeroporto.	Diálogo usando o verbo ser (será que) com idéia de talvez.	Falando sobre a necessidade de organizar viagens.
64	Mexa-se!	Adjetivos: cores.	Falando sobre os perigos no esporte.
65	Que mal-educado!	Completar exercícios.	Falando: quando alguém é mal-educado.
66	Não deixe para a última hora.	Uso do imperativo nos comerciais.	Escrevendo sobre televendas e outros sistemas de compra e venda.
67	Em Barcelona. Fuso Horário.	Uso de locuções adjetivas: a pé / a cavalo de metrô/ de trem.	Escrevendo e falando: Como aproveitar mais uma viagem.
68	Diálogo: Cadê?	Exercícios com o verbo gostar /dele/dela/deles/delas.	Falando: Com que objetos é possível rasgar uma roupa?
69	Diálogo.	Conjugação do verbo ficar dando ênfase à grafia da 1º pessoa do pretérito perfeito do indicativo.	Escrevendo: completar exercícios usando ficar a.
70	Diálogo.	Completar diálogo usando os verbos indicados. Colocar o diálogo em ordem.	Escrevendo e falando sobre jogos favoritos.
71	Diálogo.	Conjugação de verbos regulares em -er no presente e pretérito perfeito do indicativo.	Falando de pessoas que conhecidas: alfaiate/borracheiro/eletricista/costureira
72	Diálogo: Que chuva!	Imperativo singular (você) de verbos regulares em -er.	

RESUMO DAS UNIDADES

UNIDADE	TEXTO	GRAMÁTICA	ESCREVENDO/FALANDO
73	Edifício Ilha Bela.	Uso de abreviaturas em anúncios de jornais.	Escrevendo e falando sobre o conforto de casa ou apartamento. Escrevendo um anúncio de venda de um imóvel.
74	Diálogo.	Conjugação de verbos regulares em -ir, no presente e pretérito perfeito do indicativo. Imperativo singular.	Escrevendo: completar as frases usando os verbos corrigir/agir e dirigir.
75	Descrição.	Aplicação dos verbos ter e haver na 3º pessoa do singular. Pronúncia de palavras com ão.	Escrevendo: descrever os quartos de acordo com as figuras.
76	Diálogo: Fazendo uma consulta médica.	Uso de ter que / ter de.	Falando sobre providências que uma pessoa deve tomar ao perceber que está com febre.
77	Que horas são?	Uso das contrações das preposições de + artigos: das... às.... /do ... às...	Escrevendo: Completar exercícios usando das... às / do ... à...
78	Diálogo.	Conjugação do verbo preferir (irregular) no presente epretérito perfeito do indicativo.	Escrevendo: Completar o diálogo.
79	Henny Huisman Regina Duarte Delia Smith	Conjugação do verbo saber (irregular) no presente e pretérito perfeito do indicativo.	Falando sobre o trabalho feminino.
80	Diálogo.	Completar os exercícios.	Falando de roupas para usar quando está frio.
81	Como ele está?	Adjetivos. Plural.	Falando sobre os últimos acontecimentos.
82	Visitando um amigo.	Conjunção do verdo poder. Presente e Pretérito perfeito do indicativo.	Falando sobre providências a serem tomadas em caso de acìdentes.
83	Diálogo.	Conjugação do verbo fazer (irregular) no presente e pretérito perfeito do indicativo.	Falando sobre passatempos favoritos.
84	Para completar.	Completar exercícios usando: das... às, do... à..., das ... à...	Escrevendo: Fazer ou não fazer?
85	Consertos.	Completar o texto usando pretérito perfeito.	Falando sobre consertos domésticos.
86	Diálogo: Nós nos perdemos.	Combinação da preposição para + artigos definidos.	Falando: quando fazer contato com imobiliária. Escrevendo: Você já se perdeu alguma vez?
87	Diálogo: Na vitrina da joalheria.	Conjugação dos verbos pedir e ir (irregulares) no presente e pretérito perfeito do indicativo.	Escrevendo: completar exercícios com o verbo pedir.
88	Respostas.	Adequação de respostas a diferentes perguntas.	Escrevendo: relacionar as respostas às perguntas feitas.
89	Diálogo.	Completar os exercícios usando verbos no pretérito perfeito do indicativo.	Escrevendo e falando: criar diálogos usando "ouvi dizer" e"de repente" e fazer a apresentação.
90	Onde fica a igreja?	Completar exercícios.	Escrevendo: fazer exercícios usando "é que".

RESUMO DAS UNIDADES

UNIDADE	TEXTO	GRAMÁTICA	ESCREVENDO/FALANDO
91	No correio.	Exercícios: opostos de verbos, advérbios e expressões referindo-se ao futuro.	Falando sobre o atendimento e serviços do correio.
92	Dizer a verdade.	Completar o exercício usando verbos no presente do indicativo.	Falando: ler as respostas para o grupo.
93	Comidas regionais.	Completar o exercício com o imperativo.Formação do futuro do indicativo.	Falando sobre temperos fortes.
94	Vamos fazer um brinde?	Completar o exercício usando o verbo homenagear no condicional.	Falando: apresentação das respostas ao grupo.
95	Diálogo.	Advérbios: perto de/longe de Locução adjetiva: com pressa.	Falando sobre o tempo.
96	Diálogo.	Completar o diálogo usando os verbos indicados (fazer/receber).	Escrevendo: criar um convite de aniversário.
97	Diálogo: Fazendo uma vaquinha.	Uso do pronome me no início da frase ou depois do verbo.	Escrevendo: completar diálogo. Falando: Em que circunstâncias podemos "fazer uma vaquinha" / vantagens.
98	Diálogos com expressões e gírias.	A gente: correspondente a nós - aplicação do verbo no singular.	Escrevendo e falando: completar os exercícios e fazer a leitura dos diálogos para a classe.
99	Terror no mar.	Observar o uso de preposições no início de sentenças/perguntas: De que ... / A que perigos...	Falando: discussão sobre perigos na praia. Criar penalidades para banhistas que não respeitam avisos.
100	Corrida de cavalos.	Conjugação dos verbos trazer/dar /ver (irregulares) no presente e pretérito perfeito do indicativo.	Escrevendo: completar o diálogo.
101	Condomínio Araucária Plantão de vendas.	Situações apresentadas usando os verbos no presente do indicativo.	Escrevendo sobre seguradoras. Falando sobre carência de planos de saúde e franquia dos seguros de automóveis.
102	Recomendações.	Forma imperativa dos verbos: ficar/evitar/ aumentar/marcar.	Falando sobre a mania de tomar remédios. A atitude é sensata ou poderá ser prejudicial à saúde?
103	Viajar por conta própria ou por pacote?	Texto: aplicação de verbos no futuro do indicativo.	Falando sobre as vantagens e desvantagens das viagens por conta própria ou por pacote.
104	Diálogo: às seis em ponto.	Conjugação do verbo sair (irregular) no presente e pretérito perfeito do indicativo.	Escrevendo e falando sobre as diversas situações que podem ocorrer num ônibus.
105	Diálogo.	Completar os diálogos com os verbos indicados, usando o pretérito perfeito do indicativo.	Escrevendo e falando: fazer pesquisa de preços e apresentar ao grupo preço de consulta e diária de hospital.
106	Que correria!	Texto dando ênfase ao uso de adjetivos.	Escrevendo: descrição de dois palhaços. Falando sobre lazer / como anunciar um espetáculo.
107	Horários.	Conjugação do verbo perder (irregular) no presente e pretérito perfeito do indicativo.	Escrevendo e falando: o que podemos perder O que é necessário fazer quando se perde a Carteira de Identidade.
108		Participar da atividade apresentada usando os verbos no presente do indicativo.	Escrevendo: nomes de pessoas famosas ou objetos/um aluno dá dicas sobre os mesmos e os outros tentam adivinhar.

RESUMO DAS UNIDADES

UNIDADE	TEXTO	GRAMÁTICA	ESCREVENDO/FALANDO
109	Diálogo.	Completar o diálogo.	Falando: Os alunos trazem sacolas. Cada um escolhe um objeto da sala e faz perguntas de acordo com o modelo sugerido usando o verbo caber.
110	Divertimento.	Diálogo usando o verbo perder-se.	Falando: apresentar cinco situações usando "sufoco". Escrevendo: apresentações mais arriscadas do circo.
111	Natação Estilo Medley.	Descrição de uma piscina olímpica, usando o presente do indicativo.	Escrevendo sobre Olimpíadas. Falando sobre estilos.
112	Que tal um sorvete?	Completar diálogo usando os verbos: acampar/acreditar/ esquecer de/perder-se	Falando sobre acampamentos. Escrevendo sobre coisas que está com vontade de comer/beber /comprar.
113	Diálogo. Tanque cheio.	Conjugação dos verbos ler/pôr/ dizer/vir (irregulares) no presente e pretérito perfeito do ind.	Falando: em que lugares não se deve buzinar? Explicar as razões.
114	Diálogo.	Completar diálogo. Aplicação do verbo pensar seguido da preposição em.	Falando sobre clubes de diferentes países.
115	Diálogo.	Completar diálogos. Exercícios usando "ser/que" : Por que é/que você...	Escrevendo sobre os clubes da cidade e suas atividades sociais mais freqüentes.
116	Diálogo.: Numa loja de artigos para presentes.	Conjugação do verbo cair (irregular) no presente e pretérito perfeito do indicativo.	Falando sobre atitudes de fregueses.
117	Leve e saudável.	Uso do verbo no presente	Falando sobre trabalho feminino e trabalho masculino.
118	Diálogo.	Completar diálogo usando do presente e pretérito perfeito do indicativo.	Escrevendo: como conservar Cds em bom estado. Falando: Quem já teve a oportunidade de assistir a um show internacional?
119	Diálogo: Chamada a cobrar.	Aplicação de verbos no presente/pret.perf./condicional e futuro do ind.	Escrevendo/falando sobre chamadas telefônicas.
120	Respondendo questões.	Fazer perguntas para as respostas apresentadas. Exercícios: transformar para o plural.	Escrevendo sobre lucro e prejuízo.
121	Aproveite! Não perca!	Uso de substantivos, adjetivos e locuções	Escrevendo e falando sobre pesquisas de preços e promoções dos supermercados.
122	Diálogo.	Formação do presente contínuo.	Escrevendo sobre os aparelhos de ginástica. Falando: vantagens e desvantagens de uma academia de ginástica em casa.
123	Colecionar cartões de telefone vira mania.	Completar exercícios com a expressão: ele tem mania de...(Uso de infinitivo depois de preposição)	Escrevendo: completar exercícios observando o quadro de ajuda.
124	Diálogo.	Aplicação do presente contínuo no diálogo.	Escrevendo e falando sobre competições individuais e jogadores de futebol.
125	Informativo sobre futebol.	Conjugação de verbos em -ear, incluindo estrear com conjugação especial no pres.do ind.	Escrevendo e falando: ganhar jogo/ empatar jogo perder jogo.
126	O que eles estão fazendo.	Exercícios usando o presente contínuo.	Escrevendo e falando: atividades usando a expressão pagar o pato.

RESUMO DAS UNIDADES

UNIDADE	TEXTO	GRAMÁTICA	ESCREVENDO/FALANDO
127	Conversando sobre férias.	Verbo pensar + preposição em + artigos definidos.	Escrevendo: completar os exercícios.
128	Diálogo.	Completar diálogo usando verbos regulares e irregulares no pret.perf.do ind.	Escrevendo: completar exercícios e continuar frases.
129	Diálogo: Como deixar recados.	Uso dos pronomes indefinidos: algum/alguns/alguma/algumas/ nenhum/nenhuma/ todo/a/s	Falando: Concordar ou discordar que, numa novela, o vilão só pode sofrer no final.
130	Ari levou o carro na oficina.	Verbos acreditar/confiar em + pronomes pessoais/artigos / pronomes demonstrativos.	Escrevendo: completar os exercícios.
131	Malhação.	Opostos de emagrecer e sobrar. Exercícios dando ênfase ao verbo adiantar na 3º pessoa do sing.	Escrevendo e falando sobre atividades esportivas, dando ênfase ao verbo adiantar na 3º pessoa.
132	Diálogo.	Pronomes indefinidos: quanto/quanta/quantos/ quantas	Falando sonbre o consumo de bebidas em geral.
133	Negrinho do Pastoreio Saci-Pererê / Polenta.	Nos textos há verbos cujas conjugações foram vistas anteriomente, como por exemplo: vaguear.	Falando sobre comida típica.
134	Providências que devem ser marcadas com 6 e meses de antecedência.	Pronomes indefinidos: tanto/tanta/tantos/tantas vários/várias	Falando sobre providências para um casamento.
135	Diálogo.	Pronomes indefinidos/ verbo pensar seguido da preprosição em.	Escrevendo: completar exercícios. Falando: Leva mais tempo para fazer rocambole ou torta?
136	Campos do Jordão.	Aplicação do futuro do indicativo.	Falando: Que atividades uma família poderá fazer ao tirar férias no inverno?
137	Diálogo.	Futuro do presente do indicativo: verbos regulares e irregulares.	Escrevendo: completar diálogo e passar texto para o futuro.
138	Chás.	locuções adjetivas: de cogumento/ de ervilha/ de uva / de damasco	Escrevendo e falando sobre a Medicina Alternativa.
139	Agradecendo as fotos.	Pronomes pessoais: me, nos, lhe, lhes.	Escrevendo: praticando o uso de pronomes Falando: conversando sobre hereditariedade.
140	Derperdício de água e energia.	Aplicação do verbo dever + infinitivo.	Escrevendo e falando: dicas para não haver despedício.
141	Diálogo.	Futuro do presente do indicativo. Pronomes: me/nos/lhe/lhes/te	Escrevendo: completar os exercícios.
142	Diálogo.	Completar os exercícios usando os pronomes comigo/conosco.	Escrevendo e falando: motivos que dão origem a uma greve.
143	Diálogo.	Pronomes demonstrativos: mesmo/mesma/s.	Falando: perguntar ao colega quando ele vai ao supermercado/cinema/discoteca. Escrevendo: exercícios.
144	Uma rã tão grande que é capaz de comer pequenos roedores.	Verbos: coaxar/ latir/ miar e outros.	Escrevendo e falando: O que está sendo feito para a preservação das espécies em extinção?

RESUMO DAS UNIDADES

UNIDADE	TEXTO	GRAMÁTICA	ESCREVENDO/FALANDO
145	Diálogo.	Futuro do pretérito do indicativo (condicional). Verbos regulares e irregulares.	Falando: perguntar aos colegas se eles têm medo de mau tempo/ o que fariam numa estrada com queda de barreira.
146	Comemore conosco.	Completar os exercícios usando imperativo plural e o futuro do pretérito (condicional).	Escrevendo: completar os exercícios.
147	Diálogo.	Verbo parar seguido da preposição de.	Escrevendo e falando sobre providências a serem tomadas em caso de queimaduras.
148	Diálogo.	Verbo ir no imperfeito + infinitivo com idéia de condicional.	Escrevendo um recado a uma amiga explicando que não será possível ir ao cinema, porque surgiu um contratempo.
149	Diálogo.	Uso de adjetivos: disposto/ indisposto/animado/ansioso/ chateado e outros.	Falando: em que situações alguém poderá desmaiar. Escrevendo: completar os exercícios.
150	Balonismo.	Comparativo de igualdade.	Falando: fazer comentários sobre as conseqüências da mentira.
151	Características de peixes.	Perguntas usando o advérbio já mais o pret.perf. do ind. Ex.: Você já comeu polvo?	Escrevendo: dar uma receita de molho.
152	Curiosidade.	Conjugação do verbo conseguir (irregular no presente do indicativo).	Escrevendo sobre o que se consegue ou não fazer.
153	Diálogo.	Comparativo de igualdade.	Falando sobre a temperatura anual da cidade /quais são as alternativas para fazer turismo gastando pouco.
154	Aconteceu de motocicleta.	Comparativo de inferioridade.	Escrevendo: completar os exercícios.
155	Diálogo.	Comparativo de superioridade.	Escrevendo e falando: completar os exercícios.
156	Um aparelho contra o celular. Viajar de avião é melhor do que viajar de trem?	Comparativo: adjetivos irregulares.	Escrevendo: escreva os nomes de cinco restaurantes e compare os serviços.
157	Praticando.	Completar os exercícios usando os comparativos de inferioridade e superioridade.	Escrevendo e falando: combinar perguntas e respostas.
158	Você sabia?	Superlativo relativo.	Escrevendo: descrição de ruas mais congestionadas/ roupa de festa mais bonita/cidade menos interessante.
159	Responda rápido.	Superlativo relativo: irregulares.	Falando: leitura do texto usando superlativos irregulares.
160	Meu vizinho.	Uso do superlativo.	Escrevendo: o mais curioso, o mais durável. Falando: Reunião de amigos.
161	Diálogo.	Uso do superlativo.	Conversando sobre esportes.
162	A melhor frase para o apresentador do circo.	Exercícios: superlativo relativo com adjetivos irregulares.	Escrevendo: completar os exercícios.

RESUMO DAS UNIDADES

UNIDADE	TEXTO	GRAMÁTICA	ESCREVENDO/FALANDO
163	Já fui bom nisso.	Aplicação de verbos no presente/passado e futuro.	Falando: trocar idéias sobre o relacionamento entre pais e filhos, quando há espírito de competição.
164	Palavras.	Palavras com: rr,ss,ch,lh, nh,gu qu,sc,sç,xc,x (som de z) - x (som de ch) qua,quo.	Falando: leitura de todas as palavras da unidade.
165	Diálogo: Recebendo visitas.	Aplicação de verbos no presente do indicativo.	Falando: leitura do texto.
166	Diálogo.	Completar o diálogo usando o pretérito perfeito do indicativo. Superlativo absoluto.	Escrevendo: situações em que alguém poderá ficar: chateadíssimo, desapontadíssimo, irritadíssimo/felicíssimo.
167	Diálogo: Preparando-se para o carnaval.	Pronomes pessoais lo-la-los-las.	Falando: Com que fantasia você pularia o carnaval?
168		Completar exercícios usando superlativos absolutos e pronomes pessoais lo/a/s.	Escrevendo: completar os exercícios.
169		Pronomes pessoais: no/na/nos/nas.	Escrevendo: O que é importante, importantíssimo ou não é importante?
170	Empregadas domésticas.	Completar os exercícios dando ênfase a respostas usando verbos no presente do indicativo.	Falando sobre o trabalho doméstico na cozinha.
171	Comparando o passado com o presente.	Pretérito imperfeito do indicativo - verbos regulares em -ar.	Escrevendo e falando: Comparando o passado e o presente. Discussão: Que riscos um jogador corre se ele sempre jogar a dinheiro?
172	Normalmente, os vestidos de noiva são bordados à mão.	Pretérito imperfeito do indicativo - verbos regulares em -er.	Escrevendo e falando sobre a confecção e os custos de vestidos de noiva. Vale a pena gastar tanto?
173	Compositores.	Aplicação do pretérito perfeito do indicativo nos textos.	Falando sobre compositores e letras de músicas.
174	Levando o bebê ao pediatra.	Pretérito imperfeito do indicativo - verbos regulares em -ir.	Escrevendo e falando: uma novidade ou curiosidade começando com: Você sabia que...?
175	Música: Lata d´água.	Conjugação do verbo subir (irregular no presente do indicativo).	Escrevendo e falando sobre preocupações das mães quando trabalham fora/ ausência dos pais.
176	Diálogo.	Completar diálogos usando do pretérito perfeito e imperfeito do indicativo.	Escrevendo e falando: Que cursos muitas pessoas começam a fazer e depois desistem?
177	Etiqueta - Tirando dúvidas.	Uso dos pronomes pessoais o - a - os - as.	Escrevendo e falando: Antigamente/Na semana passada.
178	Dê uma desculpa.	Verbos seguidos de preposição.	Escrevendo: completar exercícios.
179	Recados.	Uso dos pronomes pessoais o - a - os - as.	Escrevendo: criar um bilhete pedindo ajuda ao irmão caçula.
180	Diálogo: Na loja.	Aplicação do presente do indicativo.	Falando sobre formas de pagamento: à vista / a prazo. Falando sobre os nomes de ruas:letras/nºs /nomes de pessoas.
181	Curiosidade. Dar gargalhadas.	Pretérito imperfeito do indicativo: verbos irregulares (ter - vir - pôr - ser).	Falando: Discussão - o que é necessário fazer para vencer na vida.

RESUMO DAS UNIDADES

UNIDADE	TEXTO	GRAMÁTICA	ESCREVENDO/FALANDO
182	A dama das bromélias.	Texto usando verbos irregulares (atrair - ter). Aplicação de verbos no pres./pret.perf.e imperfeito do indicativo).	Escrevendo: Plantas que têm espinhos. Onde elas ficam bem?
183		Exercícios usando verbos no pres., pret.perf.e imperf. do ind. /Pronomes lo/la/los/las.	Escrevendo: O que vale a pena fazer na juventude?
184	Diálogo.	Situações para o uso do pretérito imperfeito do indicativo.	Falando sobre mágicos e mágicas.
185	Piada de vendedor.	Preposição de + artigos indefinidos: de um/de uns de uma / de umas.	Falando: perguntar aos colegas se observam acabamento das roupas/ se preferem comprar roupas prontas ou sob medida. Escrever uma piada. Falando: contar a piada.
186	Fiquei de cama.	Exercícios: uso do pret.imperfeito do indicativo com idéia de passado contínuo.	Falando: perguntar ao colega se deixou de ir a algum lugar porque ficou de cama/como ficou? de mau humor?
187	Diálogo: no baile.	Exercícios usando o passado contínuo/futuro do indicativo e imperativo.	Escrevendo: 1.Atitudes de rapazes e moças em bailes. 2. Como as pessoas se queixam de queimaduras.
188	Que coisa!	Completar exercícios usando o presente, condicional e pret. Imperfeito do indicativo.	Escrevendo: completar os exercícios.
189	Poema: O bicho.	Texto usando pret. perfeito e imperfeito do indicativo.	Escrevendo: O que seria necessário fazer para terminar com o problema da fome no mundo?
190	Antigamente eu...	Completar exercícios usando verbo no pret.perf. e imperfeito do indicativo. Tinha e havia.	Escrevendo: Quando eu era criança...
191	Diálogo: Estou perdido.	Uso dos verbos ter e haver no pret. imperfeito do indicativo.	Falando: Completar as frases: Na semana passada havia....
192	Pesadelos? Sustos? Medo?	Exercícios: uso do pret.imperfeito do indicativo com idéia de passado contínuo.	Escrevendo e falando: completar exercícios e apresentar ao grupo.
193	Diálogo: Em férias.	deve ser / deve estar devem ser / devem estar.	Falando: Quando você vai entrar em férias?
194	Diálogo.	Uso do adjetivo parecido/a/s. Completar exercícios usando verbos no pres.,pret.perf. e imperf. Do indicativo.	Escrevendo: completar os exercícios.
195	Diálogo: Vivo cansada.	Diminutivos de: substantivos/adjetivos/ advérbios e outros casos.	Falando: leitura do diálogo e dos exercícios.
196	Diálogo: Que joguinho.	Uso do diminutivo para expressar uma idéia pejorativa ou depreciativa.	Escrevendo e falando: criar diálogos usando diminutivos e apresentar ao grupo.
197	Diálogo.	Uso do aumentativo.	Escrevendo e falando: completar os exercícios e apresentá-los ao grupo.
198	Pequenos diálogos.	Uso do presente, pret.perf. do indicativo e presente contínuo nos diálogos apresentados.	Falando: É recomendável dar carona a desconhecidos? Escrevendo: criar diálogo usando a expressão "virar bicho" e apresentar ao grupo.

UNIDADE	TEXTO	GRAMÁTICA	ESCREVENDO/FALANDO
199	Saúde - menor e melhor.	Exercícios: deve ser /devem ser deve estar / devem estar.	Falando sobre a opinião do texto. Concordar ou discordar. Descrever, fisicamente, esquimós, japoneses e outras raças.
200	Diálogo.	Verbos reflexivos.	Escrevendo e falando: Como as pessoas se vestem para jogar futebol/correr de motocicleta/trabalhar no escritório e mergulhar.
201	Diálogo.	Exercícios com verbos reflexivos.	Escrevendo e falando: completar exercícios.
202	Você já se arrependeu de comprar alguma coisa numa viagem?	Verbos prenominais (sentir-se, queixar-se, arrepender-se e outros).	Escrevendo e falando: completar os exercícios.
203	Música Só danço samba.	Completar exercícios usando verbos reflexivos.	Falando: De que maneiras atores e cantores, no início de suas carreiras, tentam se espelhar em artistas famosos?
204	Como fazer embalagens.	Completar exercícios usando pret.perf. e imperf. do indicativo e, também, verbos reflexivos.	Escrevendo: escrever cartão comunicando mudança de endereço/ escrever sobre negócio próprio. Falando: apresentar idéias de negócio próprio ao grupo.
205		Uso dos verbos reflexivos quando denotam reciprocidade (amar-se - odiar-se e outros) Conjugação de verbos irregulares em -iar no presente do indicativo.	Escrevendo e falando: completar os exercícios e apresentá-los ao grupo.
206	Diálogo: Vire-se!	Completar exercícios usando verbos reflexivos e prenominais.	Escrevendo e falando: completar os exercícios.
207	Medidas.	Conjugação do verbo medir (irregular no presente do indicativo).	Escrevendo e falando sobre medidas.
208	Diálogo: Falando sobre esporte.	Advérbios.	Falando: Num ponto de ônibus, com quem você não bate papo? Explicar as razões.
209	O Rio de Janeiro.	Uso da preposição por + artigos.	Falando: em grupos, fazer mapas e explicar como chegar a certos lugares: pronto-socorro, parques, etc.
210	Você já se perdeu alguma vez numa viagem?	Exercícios usando a preposição por e contrações da preposiçaõ por + artigos.	Escrevendo e falando: Quando alguém se perde numa viagem, o que deve fazer?
211	Presente que comprei.	Uso de pronomes relativos: que, quem, cujo, cuja, o qual, onde.	Escrevendo: substituindo pronomes relativos.
212	Colocando as flores.	Pronomes relativos: cujo/cuja/cujos/cujas.	Escrevendo e falando: O que é necessário fazer para conservar as flores por mais tempo nos vasos. Apresentar sugestões ao grupo.
213	Diálogo: Ninguém atendeu.	Formação do passado contínuo: imperfeito do verbo estar + gerúndio.	Escrevendo e falando sobre apelidos.
214		Completar exercícios usando o passado contínuo.	Escrevendo: completar os exercícios.
215	Pequenos diálogos.	Completar exercícios usando o passado contínuo.	Escrevendo e falando: completar os exercícios. Falando sobre sonhos e pesadelos.
216	Entrevista.		Falando: leitura da entrevista. Escrevendo: Perguntas que faria a um designer de jóias e outros. Escrever cartão-postal e carta.